possedere
la attività
Riempire

~~rilassiattare~~

superare

TURISTA   vs   VIAGGIATORE
(aspettative)   (apertura)
DOMANI/IERI   ORA

DOVE / PERCHÉ / COME

(VIAGGIO) → Per uscire da sé stessi

→ Per cuhare u sé stessi

- Nei posti
- Nei libri
- Nella musica
- Nei sogni
- Nei film

Titolo originale:
The Art of Travel

Il nostro indirizzo internet è: www.guanda.it

ISBN 88-8246-423-7

ALAIN DE BOTTON
L'ARTE DI VIAGGIARE

Traduzione di Anna Rusconi

UGO GUANDA EDITORE
IN PARMA

A Michele Hutchison

PARTENZA

I

SULL'ASPETTATIVA

Luoghi	*Hammersmith Londra*	*Barbados*
Guida	*J.K. Huysmans*	

1

Difficile dire con esattezza quando fosse arrivato l'inverno. Il declino era stato graduale, come quello di un uomo verso la vecchiaia, poco evidente nell'immediato succedersi dei giorni finché la stagione era diventata una realtà impietosa e innegabile. Dopo un calo nelle temperature serali, arrivarono giorni di pioggia ininterrotta, confuse folate di vento atlantico, umidità, e infine la caduta delle foglie e lo spostamento all'indietro delle lancette dell'orologio – benché non mancassero le tregue, le mattine in cui si poteva uscire di casa senza cappotto e il cielo era terso e luminoso. Si trattava, tuttavia, di falsi segni di ripresa in un paziente già condannato. A dicembre, infatti, la nuova stagione era ormai consolidata e la città regolarmente oppressa da cieli plumbei e minacciosi, come nei quadri del Mantegna o del Veronese, sfondi perfetti per una crocifissione del Cristo o per una giornata al calduccio sotto le coperte. Il parco del quartiere si era trasformato in una squallida distesa di acqua e fango, illuminata la notte da lampioni ambrati rigati di pioggia. Una sera, passando di là sotto un acquazzone, ripensai a quando, in piena afa estiva, ero andato a sdraiarmi su quelle aiuole, i piedi nudi che sfioravano l'erba, e a come quel contatto diretto con la terra mi avesse dato un senso di libertà e socievolezza, a come l'estate riuscisse ad abbattere i normali confini tra l'aperto e il chiuso e a farmi sentire a casa mia tanto nel vasto mondo quanto nella mia camera da letto.

Ora però il parco era tornato un luogo estraneo, il manto erboso una truce arena sotto la pioggia incessante. Se già provavo una vaga tristezza, se già temevo che felicità e armonia fossero irraggiungibili, i miei sentimenti parvero trovare conferma nei mattoni scuri e fradici delle case e nel cielo basso sfumato di arancione dai lampioni.

William Hodges, *Tahiti Revisited*, 1776

Tali circostanze climatiche, sommate a una serie di fatti accaduti nello stesso periodo (e che sembravano a loro volta confermare la sentenza di Chamfort secondo cui un uomo dovrebbe ingoiare ogni mattina un rospo per essere sicuro di non dover affrontare nulla di più orribile nella giornata che lo attende), finirono per rendermi oltremodo sensibile all'arrivo, un pomeriggio tardi, di un accattivante quanto non richiesto dépliant intitolato «Inverno al sole». In copertina campeggiava una fila di palme, molte delle quali si protendevano quasi orizzontali su una spiaggia di sabbia finissima orlata da un mare turchese, e sullo sfondo si stagliavano colline dove subito immaginai celarsi cascate e freschi ripari all'ombra di olezzanti alberi da frutto. Le fotografie all'interno mi ricordavano i quadri di Tahiti che William Hodges aveva riportato con sé dal viaggio con il capitano Cook e che mostravano una laguna tropicale dove, nella morbida luce del crepuscolo, giovani sorridenti saltellavano spensierate (e scalze) tra il lussureggiante fogliame; immagini che, esibite per la prima volta da Hodges alla Royal Academy di Londra nel rigido inverno del 1776, avevano suscitato grande meraviglia – nonché ispirato innumerevoli rappresentazioni successive dell'idillio tropicale, comprese quelle di «Inverno al sole».

Gli autori del dépliant avevano oscuramente intuito con quanta facilità i loro lettori avrebbero potuto trasformarsi in altrettante prede grazie a semplici fotografie il cui potere era un insulto per l'intelligenza e per qualunque nozione di libero arbitrio: scatti sovraesposti di palme slanciate, cieli cristallini e spiagge bianche. A contatto con questi elementi, anche i lettori normalmente capaci di prudenza e scetticismo regredivano a un'innocenza e a un ottimismo primordiali. Il desiderio indotto dal dépliant costituiva una dimostrazione, commovente e patetica al tempo stesso, di quanto i progetti (o la vita intera) siano in realtà esposti all'influenza delle immagini di felicità più rozze e scontate, e di come un lungo e costoso viaggio possa prendere le mosse dalla mera vista di una fotografia di una palma dolcemente inclinata nella brezza tropicale.

Decisi insomma di partire per l'isola di Barbados.

2

Se la nostra esistenza si svolge all'insegna della ricerca della felicità, forse poche cose meglio dei viaggi riescono a svelarci le dinamiche di questa impresa – completa di tutto il suo ardore e di tutti i suoi paradossi. Benché in maniera indiretta, infatti, i viaggi contengono una chiave di lettura del senso della vita che va oltre le costrizioni imposte dal lavoro e dalla lotta per la sopravvivenza; ciononostante raramente vengono considerati stimolanti sul piano filosofico poiché sembrano richiedere considerazioni di ordine eminentemente pratico. Veniamo così inondati di consigli sul *dove*, ma poco o nulla ci viene domandato circa il *come* e il *perché* del nostro andare. Eppure l'arte di viaggiare pone una serie di interrogativi nient'affatto semplici o banali, e il cui studio potrebbe modestamente contribuire alla comprensione di ciò che i filosofi greci indicavano con la bella espressione *eudaimonia*, ovvero felicità.

3

Uno di questi interrogativi concerne la relazione tra l'aspettativa del viaggio e la sua realtà. Mi è capitato di leggere *Controcorrente*, romanzo del 1884 di J.K. Huysmans, il cui fiacco e misantropo eroe, il nobile Des Esseintes, attende con trepidazione un viaggio a Londra e nel frattempo si abbandona a un'analisi oltremodo pessimistica della differenza che passa tra le nostre aspettative su un luogo e quanto può verificarvisi una volta che lo abbiamo raggiunto.

Il duca Des Esseintes abitava da solo in una grande villa

alle porte di Parigi e raramente usciva, per non imbattersi in quella che considerava la bruttezza e la stupidità del prossimo. Da giovane si era infatti avventurato sino a un vicino villaggio e in quella visita di poche ore aveva sentito crescere dentro di sé il disgusto per gli altri; così aveva deciso di trascorrere i suoi giorni in solitudine, a letto nello studio, leggendo i classici della letteratura e rimuginando malevoli pensieri sull'umanità tutta. Un mattino presto, tuttavia, il duca aveva stupito se stesso provando l'intenso desiderio di recarsi a Londra, un desiderio che lo aveva assalito mentre leggeva accanto al fuoco un volume di Dickens. Il libro gli aveva evocato e impresso nella mente visioni della vita inglese, verso cui si era sentito sempre più attratto. Incapace di dominare l'entusiasmo, ordinò alla servitù di preparare i bagagli, indossò un completo di tweed grigio, un paio di stivaletti alla caviglia con stringhe, una piccola bombetta e una mantella Inverness color carta da zucchero e salì sul primo treno per Parigi. Per ingannare il tempo che lo separava dalla coincidenza per Londra si recò da Galignani, la libreria inglese in rue de Rivoli, dove acquistò una guida di Londra Baedeker. Piacevolmente perso nelle fantasticherie indotte dalle vivide descrizioni delle attrazioni londinesi, si trasferì in una vicina osteria dall'atmosfera dickensiana frequentata soprattutto da inglesi. Subito ripensò alle scene in cui la piccola Dorrit, Dora Copperfield, e Ruth, la sorella di Tom Pinch, sedevano in stanze simili, luminose e accoglienti; uno degli avventori, poi, aveva la chioma bianca e la carnagione rubiconda del signor Wickfield, e i lineamenti inespressivi e gli occhi crudeli del signor Tulkinghorn.

Affamato, Des Esseintes si infilò quindi in una taverna inglese in rue d'Amsterdam, nei pressi della Gare Saint Lazare. Era un ambiente scuro e fumoso, e il bancone, su cui erano allineati rubinetti per spillare la birra, era ricoperto di prosciutti bruni come violini e aragoste rosse come il minio. Ai piccoli tavoli di legno sedevano donne inglesi dai volti mascolini, i denti grandi come coltelli per spalmare, le guance rosse come mele e mani e piedi lunghissimi. Des Esseintes trovò un tavolo e ordinò una zuppa di coda di bue, eglefino affumicato, una porzione di roast beef, un paio di pinte di birra e un pezzo di stilton.

Ma mentre si avvicinava l'ora della partenza del treno, e con essa la possibilità di trasformare la Londra dei sogni nella Londra della realtà, Des Esseintes fu colto da una crisi di pigrizia e pensò a quanto sarebbe stato faticoso andarci veramente, a Londra, al fatto che avrebbe dovuto affrettarsi fino alla stazione, sgomitare per trovare un facchino, cercare il posto in carrozza, sopportare un letto nuovo, affrontare le code, il freddo e la fatica di recarsi di persona nei luoghi già così ben descritti dal Baedeker – finendo in tal modo per insozzare i suoi sogni. «A che pro muoversi, quando si può viaggiare così magnificamente su di una sedia? Non era forse a Londra, i cui profumi, la cui atmosfera, i cui abitanti, i cui cibi, le cui suppellettili lo circondavano? Che poteva dunque sperare, se non nuove disillusioni, come in Olanda?» Senza allontanarsi dal tavolo, continuò: «Che aberrazione ho dunque avuto per aver tentato di rinnegare idee antiche, per avere condannato le docili fantasmagorie del mio cervello, per avere come un vero pivello creduto alla necessità, alla curiosità, all'interesse di un'escursione?»

Fu così che Des Esseintes pagò, uscì dalla taverna e, armato di bauli, pacchi, valigie, tappeti, ombrelli e bastoni, riprese il primo treno e tornò alla sua villa, da cui non si allontanò mai più.

4

Tutti sappiamo bene che la realtà del viaggio non è quella che ci aspettiamo. La scuola pessimista, di cui Des Esseintes potrebbe essere considerato il patrono onorario, argomenta dunque che la realtà non può che essere sempre deludente.

Ma sarebbe forse più giusto e costruttivo dire che essa è soprattutto *diversa*.

Dopo due mesi di trepidante attesa, a metà di un terso pomeriggio di febbraio, atterrai insieme a M., la mia compagna di viaggio, al Grantley Adams dell'isola di Barbados. Gli edifici dell'aeroporto distavano solo pochi passi dal nostro aereo, il che bastò per darmi modo di registrare una vera e propria rivoluzione climatica: nel giro di poche ore ero approdato a una temperatura e a un tasso di umidità che, a casa, non si sarebbero presentati che cinque o sei mesi più tardi, e anche allora senza toccare punte di intensità paragonabile.

Nulla era come mi ero immaginato, fatto peraltro sorprendente solo se si considera *cosa* mi ero immaginato. Nelle settimane appena trascorse il pensiero di quell'isola era gravitato esclusivamente intorno a tre immagini mentali fisse, messe insieme nel corso della lettura di un dépliant e di un orario aereo. La prima consisteva in una spiaggia con una palma stagliata contro il sole al tramonto. Nella seconda c'era un bungalow visto dall'esterno, con portefinestre spalancate su una stanza con pavimenti in legno e un letto con federe e lenzuola bianche. La terza constava semplicemente di un cielo azzurro.

Ovviamente, se qualcuno me l'avesse chiesto con un po' di insistenza sarei stato in grado di riconoscere che l'isola doveva comprendere anche altri elementi, ma nessuno di essi mi era stato necessario per costruire la mia immagine mentale. Mi ero insomma comportato come quegli spettatori che, a teatro, non hanno alcuna difficoltà a immaginare che le azioni si svolgano effettivamente nella foresta di Sherwood o nell'antica Roma solo perché sullo sfondo sono stati dipinti un ramo di quercia o una colonna dorica.

All'arrivo, tuttavia, trovai tutta una serie di particolari che con insistenza chiedevano di essere inseriti nel significato più ampio della parola Barbados. Un enorme deposito di carburante decorato dal logo giallo e verde della British Petroleum, per esempio, o un cubicolo di compensato dove un funzionario dell'ufficio immigrazione sedeva in immacolata uniforme marrone verificando senza fretta, con curiosità e meraviglia (come uno studioso che sfogliasse le pagine di un manoscritto tra gli scaffali di una biblioteca), i passaporti di una fila di turisti che si snodava sin fuori dal terminal, lambendo i margini del campo. Al di sopra del nastro di riconsegna dei bagagli era appesa la pubblicità di un rum, nel corridoio della dogana c'era una foto del primo ministro, in sala arrivi un *bureau de change* e davanti all'aeroporto una bolgia di tassisti e guide turistiche. E se tale profusione di immagini celava un problema, esso stava nella difficoltà che mi procuravano a *trovare* l'isola di Barbados che ero venuto a cercare.

Semplicemente, nel mio attendere e trepidare c'era stato un vuoto assoluto tra l'aeroporto e l'hotel. Tra l'ultima riga del mio promemoria di viaggio (bella e ritmica: «Arrivo BA 2155 alle 15.35») e la mia stanza d'albergo, nella mia mente non era esistito nulla. Di certo non mi ero spinto a immaginare la gomma consumata del nastro trasportatore dei bagagli, le due mosche che volteggiavano su un portacenere strapieno, il gigantesco ventilatore in sala arrivi, il taxi bianco con finta pelle di leopardo drappeggiata sul cruscotto, il cane randagio nel terreno incolto e abbandonato alle spalle dell'aeroporto, la pubblicità degli «Appartamenti di lusso» piantata in mezzo a un rondò, una fabbrica chiamata «Bardak Electronics», la fila di edifici con tetti di lamiera rossi e verdi, l'elastico sulla maniglia di sicurezza della macchina, con sopra scritto a caratteri minuscoli «Volkswagen, Wolfsburg», i coloratissimi cespugli di cui non conoscevo il nome, la reception dell'albergo con i sei orologi regolati su altrettanti fusi orari e il cartello appeso al muro, che con due mesi di ritardo augurava «Buon Natale» – e ora intimamente mi ribellavo a simili apparizioni. Solo a svariate ore dall'arrivo potei effettivamente ricongiungermi alla stanza dei miei sogni, sebbene

17

anche in quel caso non avessi previsto l'enorme condizionatore d'aria, ancorché gradito, né il bagno di pannelli di formica dove un minaccioso avviso intimava ai signori ospiti di non sprecare l'acqua.

Forse, se siamo così inclini a dimenticare quante cose esistono al mondo oltre a quelle che ci aspettiamo, la colpa è un po' delle opere d'arte, giacché in esse ritroviamo al lavoro lo stesso processo di semplificazione o di selezione che caratterizza la nostra fantasia. La sintesi artistica comporta infatti nette abbreviazioni di ciò a cui la realtà ci costringe per intero. Un libro, per esempio, può dirci che il narratore ha viaggiato tutto il pomeriggio fino a raggiungere la cittadina collinare di X e che, dopo aver pernottato nel locale monastero medievale, si è svegliato alle prime luci di un'alba velata di foschia. Ma quando mai capita di viaggiare *e basta* per tutto il pomeriggio? In realtà siamo appena saliti su un treno. Il nostro stomaco è impegnato in una laboriosa digestione. I sedili sono grigi. Guardiamo un campo fuori dal finestrino. Torniamo a guardarci intorno nello scompartimento. Dentro di noi si agitano mille preoccupazioni. Notiamo l'etichetta di una valigia sul bagagliaio sopra i sedili di fronte. Picchiettiamo con un dito sul bordo del finestrino. L'unghia scheggiata dell'indice si impiglia in un filo. Comincia a piovere. Una goccia si apre una strada lenta e fangosa sul vetro coperto di polvere. Ci chiediamo dove abbiamo messo il biglietto. Un'altra occhiata al campo. Continua a piovere. Finalmente il treno si muove. Passa su un ponte di ferro e subito dopo, inspiegabilmente, si ferma. Sul finestrino atterra una mosca. A questo punto siamo forse giunti alla fine del primo minuto di un esauriente resoconto degli eventi celati dietro l'ingannevole frase « viaggiò tutto il pomeriggio ».

Il narratore intenzionato a fornirci una simile profusione di particolari, tuttavia, diventa presto insopportabile. Purtroppo la vita stessa si pone in questa medesima ottica di narrazione, logorandoci con ripetizioni, accenti fuorvianti e sviluppi illogici. E ci tiene assolutamente a richiamare la nostra attenzione sulla Bardak Electronics, la maniglia di sicurezza in macchina, il cane randagio, l'augurio natalizio e la mosca che atterra prima sul bordo, quindi al centro del portacenere strapieno.

Tutto ciò spiega il curioso fenomeno per cui spesso risulta più facile fare esperienza di elementi preziosi nell'arte e nell'attesa, che non nella realtà. Le fantasie artistiche e anticipatorie omettono e comprimono, tagliano le parentesi di noia e dirigono la nostra attenzione verso i momenti cruciali, conferendo all'esistenza, senza per questo abbellirla o mentire, una coerenza e una pregnanza di cui il presente, nella sua disorientante vaghezza, non di rado manca.

Mentre in quella prima notte caraibica giacevo a letto sveglio, riflettendo sul viaggio appena affrontato (fuori, tra cespugli, grilli e fruscii), la confusione del presente cominciò a dissiparsi e particolari avvenimenti ad acquistare rilievo, poiché in questo senso la memoria è simile all'aspettativa e diventa strumento di semplificazione e selezione.

Si può infatti paragonare il presente a una lunghissima pellicola da cui la memoria e l'aspettativa selezionano inquadrature particolarmente salienti. Delle mie nove ore e mezzo di volo fino all'isola, la memoria attiva non conservava che sei o sette immagini statiche, di cui soltanto una sopravvissuta fino a oggi: la fila davanti al funzionario dell'ufficio immigrazione. Dell'intera esperienza all'aeroporto, l'unica immagine rimasta accessibile è quella della coda al controllo passaporti. Le stratificazioni della mia esperienza si sono assestate in una trama narrativa ben definita, trasformandomi in un uomo che da Londra era finalmente arrivato in albergo.

Presto mi addormentai e il mattino seguente mi svegliai nella mia prima alba caraibica – anche se, naturalmente, dietro queste due brevi righe si nascondono un sacco di altre cose.

Jacob van Ruisdael, *Vista di Alkmaar*, 1670-75 ca.

5

C'era un altro paese che, molti anni prima del vagheggiato viaggio in Inghilterra, Des Esseintes aveva desiderato visitare: l'Olanda. Se l'era immaginata a partire dai quadri di Teniers e Jan Steen, di Rembrandt e Ostade, e si aspettava di trovarvi la stessa semplicità patriarcale e sregolata allegria, gli stessi tranquilli cortiletti di mattoni, e le stesse fanciulle pallide intente a versare il latte. Si era dunque recato a Haarlem e ad Amsterdam, e ne aveva riportato una cocente delusione. Non che i quadri avessero mentito; una certa semplicità e allegria effettivamente c'erano, e anche qualche grazioso cortiletto di mattoni e alcune camerierine che servivano latte, ma quelle gemme erano incastonate in una base di immagini quotidiane (ristoranti, uffici, schiere di case tutte uguali e file di campi fra loro indistinguibili) che gli artisti olandesi non avevano mai immortalato e che, a confronto con un pomeriggio nelle sale del Louvre dedicate alla pittura dei Paesi Bassi, dove in pochi metri quadrati era colta e riassunta l'essenza stessa della bellezza olandese, rendevano l'esperienza del viaggio nel paese reale insolitamente annacquata.

Des Esseintes si ritrovò così nella posizione paradossale di sentirsi più *in* Olanda – cioè molto più in contatto con gli elementi che amava della cultura olandese – quando si trovava in un museo, al cospetto di immagini selezionate del paese, che non nel corso del viaggio attraverso il paese stesso, con sedici colli di bagaglio e due servitori al seguito.

6

Svegliatomi di buon'ora, quel mattino mi infilai nell'accappatoio fornito dall'albergo e uscii in veranda. Nella prima luce del giorno il cielo era di un pallido grigio azzurro e dopo i fruscii della notte tutte le creature, persino il vento, parevano profondamente addormentate. Regnava un silenzio degno di una biblioteca. Dietro la stanza si apriva una grande spiaggia, coperta nel primo tratto da palme da cocco e quindi morbidamente digradante verso il mare. Scavalcai la bassa balaustra della veranda e andai a passeggiare sulla sabbia. La natura appariva quanto mai benevola, come se attraverso quella piccola baia a ferro di cavallo avesse voluto scusarsi per tutta la rabbia che scaricava in altre regioni, manifestando per una volta solo il proprio lato munifico. Le palme da cocco offrivano ombra e latte, il fondale marino era tappezzato di conchiglie, la sabbia era fine come cipria e dorata come il grano maturo, l'aria – persino all'ombra – conservava un calore profondo e avvolgente, così diverso da quello del Nordeuropa, fragile e sempre pronto a cedere, anche in piena estate, a un fresco ben più sicuro di sé.

Sul bagnasciuga trovai una sedia a sdraio. Ero circondato da un leggero, discreto sciabordio, come se un mostriciattolo gentile stesse sorbendo piano da un grande calice d'acqua. I primi uccelli si libravano nell'aria in preda all'eccitazione mattutina. Alle mie spalle, i tetti fronzuti dei bungalow dell'albergo erano appena visibili fra i tronchi delle palme. Davanti a me si spalancava la vista reclamizzata dal dépliant: la spiaggia proseguiva curvando dolcemente verso l'estremità opposta della baia, e dietro di essa c'erano le colline ammantate di giungla e la prima fila di palme irregolarmente inclinate verso il mare turchese, come lunghi colli protesi verso il sole.

Ma questa descrizione riflette in modo assai imperfetto ciò che quel mattino accadeva dentro di me, poiché la mia attenzione era in realtà molto più discontinua e confusa di quanto potrebbe apparire. Sicuramente notai qualche uccello che si librava nell'aria in preda all'eccitazione mattutina, ma la consapevolezza della sua presenza era indebolita da una quantità di altri fattori, completamente estranei e slegati dal contesto, tra cui il mal di gola che mi ero beccato in aereo, la preoccupazione per essermi dimenticato di informare un collega della mia partenza, una sensazione di pressione alle tempie e il crescente bisogno di andare in bagno. Stavo insomma prendendo coscienza di un fatto determinante, eppure sino a quel momento trascurato: ero andato in vacanza portandomi inavvertitamente dietro me stesso.

È davvero facile dimenticare se stessi davanti a descrizioni pittoriche o verbali di luoghi lontani. Mentre a casa indugiavo sulle foto di Barbados nulla era intervenuto a rammentarmi che i miei occhi erano intimamente collegati a un corpo e a una mente che mi avrebbero seguito ovunque fossi andato, e che prima o poi avrebbero affermato la loro presenza in modi capaci di minare, addirittura di negare, il senso di quanto i miei occhi erano venuti a vedere. Là, a Londra, ero libero di concentrarmi sulle immagini di una stanza d'albergo, di una spiaggia o di un cielo e di ignorare al tempo stesso la complessa creatura in cui l'osservazione avveniva, per la quale quella non era che una piccola parte del compito, assai più ampio e sfaccettato, di vivere.

Dinanzi all'obiettivo finale di godere della mia destinazione, corpo e mente si sarebbero dimostrati compagni alquanto umorali. Il primo aveva difficoltà a dormire, si lamentava del caldo, delle mosche e della pesantezza della cucina dell'albergo. La seconda si rivelò incline all'ansia, alla noia, a un'impalpabile tristezza e a preoccupazioni di ordine economico.

Rispetto alla continuità e alla tenuta del nostro appagamento nello stato di aspettativa, la soddisfazione che proviamo una volta giunti alla meta sembra poter essere solo un fenomeno passeggero e, agli occhi della mente consapevole, casuale: un intervallo in cui diventiamo particolarmente ricettivi verso il mondo esterno, in cui si rafforzano i pensieri positivi sul passato e sul futuro e si stemperano le ansie. Ma anche una condizione raramente destinata a durare più di dieci minuti. Presto nuove angosce si profilano all'orizzonte della nostra coscienza, come i fronti di maltempo si susseguono al largo delle coste occidentali irlandesi. Ed ecco che la recente vittoria non ci appare già più così interessante e significativa, ecco che il futuro si complica e il panorama mozzafiato acquista l'invisibilità tipica del quotidiano.

Avrei dunque scoperto un'inattesa continuità tra l'essere melanconico che ero a casa e la persona che sarei stato sull'isola, una continuità stranamente in contrasto con il radicale cambiamento di clima e paesaggio, dove l'aria stessa sembrava fatta di una sostanza diversa e assai più dolce.

A metà di quel primo mattino, M. e io ci accomodammo sui lettini da spiaggia davanti alla nostra capanna tropicale. Sopra la baia, un'unica timida nuvoletta. M. si infilò gli auricolari e cominciò a leggere e a prendere appunti a margine di *Il suicidio*, di Émile Durkheim. Io mi guardavo intorno. L'osservatore esterno avrebbe certo pensato che mi trovassi dov'ero. Invece il mio «io», vale a dire la mia parte cosciente, aveva in realtà abbandonato l'involucro fisico in cui alloggiava per arrovellarsi sul futuro, in particolare sul dubbio che i pasti non fossero compresi nel prezzo della stanza. Due ore più tardi sedevo a un tavolo d'angolo del ristorante dell'albergo davanti a una papaya (pranzo e IVA locale inclusi), mentre l'io che aveva abbandonato il corpo sul lettino da spiaggia si accingeva a una nuova migrazione, lasciando del tutto l'isola per occuparsi di un difficile progetto in programma per l'anno successivo.

Forse, secoli addietro, i membri della specie vissuti in preda alla preoccupazione per il futuro erano stati ricompensati con un netto vantaggio sul piano evolutivo. I nostri predecessori più ansiosi non erano magari riusciti ad assaporare fino in fondo la vita, ma almeno erano sopravvissuti e avevano trasmesso quell'eredità caratteriale ai loro discendenti, mentre i fratelli più attenti e concentrati sul qui e ora erano periti di morte violenta sulle corna di qualche imprevisto bisonte.

Purtroppo è difficile conservare memoria delle nostre quasi permanenti apprensioni per il futuro, e tornati da un viaggio la prima cosa a scomparire dai nostri ricordi è proprio il tempo trascorso a elucubrare sul futuro; il tempo, cioè, passato in un posto diverso da quello in cui ci trovavamo. La visione anticipata di un luogo e quella postuma del ricordo racchiudono dunque una forma di purezza: in esse è infatti il luogo stesso a farla finalmente da protagonista.

Se da casa la fedeltà geografica mi era parsa cosa possibile, probabilmente era perché non mi ero mai preso la briga di osservare abbastanza a lungo una fotografia dell'isola di Barbados. Se solo ne avessi messa una sul tavolo e avessi provato a concentrarmici sopra per venti, venticinque minuti ininterrotti, va da sé che il mio corpo e la mia mente sarebbero migrati verso un'infinità di problematiche esterne, dandomi l'esatta misura di quanto poco potere di condizionare i miei pensieri avesse il luogo in cui mi trovavo.

Pare insomma che la nostra capacità di essere presenti in un luogo raggiunga il grado massimo quando non dobbiamo affrontare la sfida di doverci stare davvero: un altro paradosso che Des Esseintes avrebbe sicuramente apprezzato.

7

Pochi giorni prima di ripartire M. e io decidemmo di esplorare l'isola. Affittammo una Mini Moke e puntammo a nord, verso una zona increspata di colline chiamata Scotland dove, nel diciassettesimo secolo, Oliver Cromwell aveva esiliato i cattolici inglesi. All'estremità settentrionale di Barbados visitammo l'Animal Flower Cave, un parco di grotte scavate nella scogliera dall'incessante azione delle onde, dove giganteschi anemoni di mare, simili a fiori gialli e verdi, spalancavano i loro viticci.

A mezzogiorno tornammo a dirigerci a sud, verso la circoscrizione di St John, e qui, in un'ala di una vecchia residenza coloniale su una collina boscosa, trovammo un ristorante. Nel parco c'era un albero delle palle da cannone, con i fiori a forma di tromba capovolta. Un opuscolo ci informò che casa e giardini erano stati voluti nel 1745 dall'amministratore Sir Anthony Hutchison ed erano costati l'apparente mostruosità di centomila libbre di zucchero. Lungo il porticato erano disposti una decina di tavoli, tutti affacciati sul verde e sul mare. Ne scegliemmo uno in fondo, vicino a una rigogliosa buganvillea. M. ordinò gamberi giganti in salsa al pepe dolce, io uno sgombro re al vino rosso con cipolle ed erbe aromatiche. Chiacchierammo del sistema coloniale e della singolare inefficacia delle creme solari a schermo totale. Per dessert ordinammo due crème caramel.

La scelta di M. si materializzò in una porzione abbondante ma informe, come se in cucina avessero rovesciato il piatto, e la mia in una portata minuscola ma perfettamente organizzata. Non appena il cameriere si fu allontanato, M. allungò una mano e scambiò il suo piatto col mio. «Ti prego, non privarmi di questo *deserto*» dissi, irritato. «Credevo preferissi la porzione più abbondante» replicò lei, non meno offesa. «È solo che vuoi accaparrarti la roba migliore.» «Non è vero, cercavo di essere carina. Piantala di fare il diffidente.» «E tu restituiscimi il mio dessert.»

Bastarono pochi attimi per ritrovarci coinvolti in uno di quei vergognosi battibecchi che, dietro agli infantili scambi di battute, celano reciproci terrori di incompatibilità e infedeltà.

M. mi restituì il piatto con aria torva, mangiò qualche boccone della sua pietanza e allontanò con una mano il dolce. Non scambiammo più una parola. Pagammo e tornammo in albergo, il rumore del motore steso come un velo sull'intensità dei nostri bronci. Durante la nostra assenza la stanza era stata pulita e riordinata, le lenzuola cambiate. Sulla cassettiera ci aspettavano dei fiori e in bagno dei teli per la spiaggia. Ne presi uno e andai a sedermi in veranda, sbattendomi la portafinestra alle spalle. Le palme da cocco proiettavano un'ombra delicata, il disegno mutevole delle fronde nella brezza pomeridiana. Eppure tanta bellezza non mi dava piacere. Dal crème caramel di alcune ore prima non ero più riuscito a godere di alcunché di estetico o materiale. La presenza di soffici asciugamani, di fiori e panorami armoniosi aveva perso ogni importanza, e il mio umore rifiutava qualunque aiuto esterno; addirittura, si sentiva insultato dalla perfezione di quel clima e dalla prospettiva del barbecue sulla spiaggia in programma per la serata.

La nostra tristezza di quel pomeriggio, con il profumo delle lacrime che si mescolava all'odore di crema solare e dell'aria condizionata, servì a ricordarci la logica rigida e impietosa cui obbediscono gli umori degli uomini e che ignoriamo a nostro rischio e pericolo ogniqualvolta, davanti alla fotografia di un'amena località esotica, fantastichiamo che a tanta magnificenza possa accompagnarsi solo altrettanta felicità. Invece la felicità che riusciamo a ottenere dai beni materiali ed estetici sembra dipendere in maniera cruciale dalla soddisfazione di bisogni primari psicologici ed emozionali, tra i quali per esempio il bisogno di comprensione, di amore, di rispetto e di libera espressione di noi stessi. Se la nostra relazione amorosa si rivela improvvisamente minata da incomprensioni e risentimento, non ci godremo dunque – non potremo goderci – nemmeno lussureggianti giardini tropicali e incantevoli bungalow sulla spiaggia.

E se un unico broncio basta ad annullare gli effetti benefici di un intero albergo, è perché non capiamo cosa ci aiuta a stare veramente su di morale. Quando a casa ci sentiamo tristi diamo la colpa al tempo e al grigiore delle nostre case, ma sull'isola ai Tropici impariamo (dopo un litigio in un bungalow fresco e fronzuto sotto un cielo smagliante) che lo stato della volta celeste e l'aspetto esteriore dei nostri alloggi non avrebbero mai il potere, da soli, di minare la nostra gioia o di condannarci all'infelicità.

Esiste un contrasto fra i grandi progetti che avviamo, la costruzione di alberghi e la bonifica di intere baie, e i nodi psicologici fondamentali che rischiano di comprometterli. Basta guardare con quanta rapidità un capriccio può annullare i vantaggi della civiltà. L'intrattabilità dei nodi mentali ci spinge a considerare la saggezza asciutta e austera di certi antichi filosofi che, abbandonata ogni ricchezza, dall'interno di una botte o di una capanna di fango predicarono che gli ingredienti chiave della felicità non potevano essere di natura estetica né materiale, ma sempre e solo psicologica – una lezione che non avrebbe potuto dimostrarsi più vera quando al tramonto, sulla spiaggia, M. e io facemmo pace accanto a un barbecue il cui lusso si era ormai trasformato in un mortificante dettaglio di nessuna importanza.

8

Dopo l'Olanda e il mancato viaggio in Inghilterra, Des Esseintes non si lasciò più tentare da nuove avventure all'estero. Si chiuse anzi nella sua villa e si circondò di oggetti atti a conciliare semmai l'aspetto più gradevole del viaggio, vale a dire l'attesa. Come nelle moderne agenzie turistiche, appese alle pareti un gran numero di stampe a colori con città straniere, musei, alberghi e navi a vapore dirette a Valparaíso o al Rio de la Plata. Fece incorniciare le cartine con le rotte seguite dalle grandi compagnie navali e con esse tappezzò i muri della sua camera da letto. Riempì un acquario di alghe, comprò una vela, alcune sartie, un secchio di catrame e, grazie a questa semplice attrezzatura, fece esperienza dei lati più piacevoli di una lunga traversata atlantica, eliminando ogni scomodità e fatica. Per dirla con Huysmans, Des Esseintes giunse alla conclusione che «l'immaginazione gli sembrava poter facilmente supplire alla volgare realtà dei fatti». Una realtà dei fatti dove ciò che siamo venuti per vedere è diluito in ciò che potremmo osservare ovunque, dove un futuro ansioso ci allontana puntualmente dal presente e il nostro apprezzamento dei fattori estetici resta comunque in balia di imperiose esigenze fisiche e psicologiche.

Diversamente da Des Esseintes, io ho continuato a viaggiare. Eppure ci sono volte in cui anch'io sento che il viaggio migliore è quello che scaturisce dalla nostra fantasia quando ci sediamo a sfogliare lentamente le diafane pagine dell'orario internazionale della British Airways.

II

SUI LUOGHI DI TRANSITO
E I MEZZI DI TRASPORTO

Luoghi	La stazione di servizio	L'aeroporto	L'aereo	Il treno
Guide	Charles Baudelaire	Edward Hopper		

1

Lungo l'autostrada Londra-Manchester, in un paesaggio piatto e uniforme, sorge una stazione di servizio in vetro e mattoni rossi. Sulla piazzola antistante campeggia una gigantesca bandiera metallica che reclamizza per i viaggiatori e le pecore del campo lì a fianco un uovo fritto, due salsicce e una penisola di fagioli in umido.

Giunsi in questa stazione verso sera. A occidente il cielo si tingeva di rosso e tra le chiome di un filare di alberelli ornamentali accanto all'edificio si udiva lo schiamazzo degli uccelli in lotta con l'incessante sottofondo del traffico. Guidavo da due ore, unica compagnia le nuvole che andavano formandosi all'orizzonte, le luci dei paesi satellite ai lati della strada, i cavalcavia e le sagome sfreccianti di pullman e auto in sorpasso. Scesi dalla macchina, dal cui cofano si levavano schiocchi di raffreddamento simili a una pioggia di graffette. Mi girava la testa, e i miei sensi dovevano riabituarsi alla terraferma, al vento e ai rumori discreti della notte imminente.

Nel ristorante regnavano un'illuminazione intensa e un caldo soffocante. Alle pareti erano appese grandi foto pubblicitarie di tazze di caffè, dolci e hamburger. Un'inserviente stava riempiendo una distributrice automatica di bibite. Feci scivolare un umido vassoietto lungo la pista di metallo, comprai una tavoletta di cioccolato e un succo d'arancia, quindi mi sedetti accanto a una vetrata lunga quanto il lato dell'edificio. I grandi pannelli erano tenuti insieme da strisce di mastice gommoso in cui ero tentato di affondare le unghie. Al di là della vetrata il declivio erboso rotolava fino all'autostrada, dove il traffico scorreva silenzioso in un'elegante simmetria di sei corsie, e ogni differenza di marca e colore veniva annullata dall'oscurità crescente e trasformata in una

33

scia di diamanti rossi e bianchi che si stendeva compatta e infinita in entrambe le direzioni.

Eravamo in pochi là dentro. Una donna che agitava pigramente una bustina di tè in una tazza. Un tizio con due bambine che mangiavano hamburger. Un uomo anziano, con la barba, immerso in un cruciverba. Nessuno fiatava. Dominava un senso di mesta riflessione, sottolineato da una musica bassa e martellante e dal sorriso smaltato di una modella che, in un cartellone sopra il banco, si preparava ad affondare i denti in un panino alla pancetta. Dal soffitto al centro della sala pendeva ballonzolando a ogni corrente d'aria l'ennesima struttura in cartone che pubblicizzava una porzione di cipolle gratis per ogni hot dog acquistato. Sformata e al contrario, la struttura conservava solo una vaga somiglianza con l'oggetto dell'offerta, un po' come quelle pietre miliari che, quando erano piantate in zone remote dell'Impero romano, si discostavano parecchio dalla forma canonica.

L'architettura dell'edificio era squallida, il ristorante puzzava di olio fritto e di detersivo per i pavimenti al limone, il cibo era di qualità infima e i tavoli costellati da isolotti di ketchup rappreso, ricordo di antichi viaggiatori. Eppure, qualcosa mi commosse. In quella stazione di servizio desolante e desolata, appollaiata sul bordo dell'autostrada, c'era della poesia. Il suo fascino mi rammentava altri luoghi di transito non meno, e non meno sorprendentemente, poetici – terminal aeroportuali, porti, stazioni ferroviarie, motel – e con essi l'opera di uno scrittore del diciannovesimo secolo, e di un pittore del ventesimo a lui ispiratosi, che in modi diversi si erano mostrati insolitamente sensibili al potere del luogo di passaggio liminare.

2

Charles Baudelaire nacque a Parigi nel 1821 e fin dalla più tenera età manifestò un certo disagio nei confronti dell'ambiente domestico. Il padre morì quando aveva solo cinque anni, e l'anno successivo sua madre sposò un uomo che lui detestava. Si ritrovò quindi a frequentare vari collegi e a collezionare espulsioni per insubordinazione, ma anche con la maggiore età stentò a trovare una collocazione nella società borghese. Litigava di continuo con la madre e il padre adottivo, indossava mantelli neri da teatro e tappezzò la propria camera con litografie dell'*Amleto* di Delacroix. Nel suo diario scriveva di soffrire della « grande Malattia dell'orrore per il Domicilio » e di un « sentimento di *solitudine*, dall'infanzia. Nonostante la famiglia – e in mezzo ai compagni, soprattutto – sentimento di un destino eternamente solitario ».

Sognava di lasciare la Francia per andare lontano, in un altro continente, dove nulla gli ricordasse « la quotidianità », termine che aborriva. Sognava un luogo dove facesse più caldo, un luogo, simile a quello dei leggendari versi di *Invitation au Voyage*: « Niente, là, che lussuosa / calma, ordinato splendore, voluttà ». Tuttavia era consapevole delle difficoltà, e già una volta era fuggito dai cieli plumbei della Francia del Nord solo per farvi poi ritorno scoraggiato e abbattuto: partito per l'India, dopo tre mesi di navigazione una tempesta aveva costretto la nave a gettare l'ancora a Mauritius per le necessarie riparazioni. Mauritius: proprio l'isola lussureggiante e piena di palme che Baudelaire aveva sempre sognato. Ciononostante, non era riuscito a scrollarsi di dosso il senso di tristezza e apatia che lo opprimeva, e gli era sorto il dubbio che in India le cose non sarebbero andate diversamente. Così, a dispetto dei tentativi del capitano di convincerlo a proseguire, aveva infine deciso di reimbarcarsi per la Francia.

Il risultato fu un'eterna ambivalenza nei confronti della tematica del viaggio. In *Le Voyage*, immaginava con sarcasmo i racconti di viaggiatori tornati da lontano:

Abbiamo visto stelle,
onde, sabbie di rive e di deserti; e ad onta

di sorprese e disastri, molte volte
ci siamo anche annoiati, come qui.

Tuttavia egli comprese sempre il desiderio altrui di viaggiare, e constatò la tenacia di quello stesso desiderio in se stesso. Subito dopo il rientro a Parigi, infatti, riprese a sognare di andarsene: «Questa vita è un ospedale dove ogni malato è ossessionato dalla brama di cambiare letto. Quello vorrebbe dolorare di faccia alla stufa, quell'altro crede che guarirebbe vicino alla finestra». Ma non si vergognava nemmeno di mettersi tra i pazienti: «A me sembra che starei sempre bene là dove non sono, e senza sosta dibatto con la mia anima il problema di dislocarmi». A volte fantasticava di recarsi a Lisbona. Di sicuro là il clima era più caldo e lui, come una lucertola, si sarebbe ricaricato al sole in quella città d'acqua, luce e marmo, che favoriva la calma e la riflessione. Naturalmente, non appena la fantasia portoghese prendeva corpo Baudelaire si ritrovava a pensare che forse l'Olanda avrebbe potuto riservargli maggiore felicità. D'altro canto perché non Giava, allora, oppure il Baltico, o addirittura il Polo Nord, dove si sarebbe immerso nell'oscurità per osservare le comete che solcavano i cieli artici? In realtà, il nocciolo della questione non era la meta. Il vero desiderio riguardava solo la voglia di allontanarsi: «Non importa dove! Non importa dove! purché sia fuori da questo mondo!»

Baudelaire considerava le fantasie di viaggio un tratto distintivo delle anime nobili che chiamava «poeti», anime incapaci di provare appagamento dinanzi agli orizzonti domestici benché consapevoli dei limiti di altri luoghi e paesi, e il cui temperamento oscillava tra speranza e disperazione, cinismo e infantile idealismo. E destino dei poeti era, come nel caso dei pellegrini cristiani, vivere in un mondo degenerato senza tuttavia rinunciare alla visione di un regno alternativo, meno compromesso.

Particolare saliente nella biografia del poeta: Baudelaire provò sempre una forte attrazione per i porti, le stazioni ferroviarie, i dock, i treni, le navi e le stanze d'albergo, perché si sentiva più in pace con se stesso nei luoghi di transito che tra le mura di casa. Quando a Parigi nei momenti di maggior oppressione il mondo gli appariva «monotono e meschino», partiva «per partire», si recava in qualche porto o stazione e lì era finalmente libero di esclamare tra sé:

> *Treno, portami via! rapiscimi, vascello!*
> *Va' lontano! qui il fango dei nostri pianti è intriso.*

In un saggio a lui dedicato, T.S. Eliot disse che Baudelaire era stato il primo artista del diciannovesimo secolo a dar voce alla bellezza dei luoghi di transito e dei mezzi di trasporto moderni. «Baudelaire... ha inventato un nuovo tipo di nostalgia romantica» scrisse, «la *poésie des départs*, la *poésie des salles d'attente*.» E, potremmo aggiungere noi, la *poésie des stations-service* e la *poésie des aéroports*.

3

Spesso, in preda alla tristezza, mi è capitato di prendere un treno o un autobus diretti all'aeroporto di Heathrow per consolarmi osservando da una galleria panoramica del Terminal 2 o dall'ultimo piano del Renaissance Hotel, accanto alla pista nord, lo spettacolo degli incessanti decolli e atterraggi degli aerei.

Nel difficile anno 1859, subito dopo il processo per la pubblicazione dei *Fleurs du mal* e la rottura con l'amante Jeanne Duval, Baudelaire si recò in visita presso la casa materna di Honfleur e trascorse gran parte dei due mesi di soggiorno seduto su una sedia sulla banchina, osservando le imbarcazioni che attraccavano e ripartivano. «Quelle navi belle e grandi, impercettibilmente cullate (dondolate) sulle acque tranquille, quelle robuste navi dall'aria scioperata e

37

nostalgica, non ci dicono in una lingua muta: Quando partiremo per la felicità?»

Da un posteggio situato lungo O9L/27R, nome in codice per la pista nord, il 747 appare dapprima come una piccola ma brillante luce bianca, una stella che lentamente precipita in direzione della terra. Vola da dodici ore. È decollato all'alba da Singapore, ha sorvolato il golfo del Bengala, Delhi, il deserto afgano e il mar Caspio. Ha fatto rotta sopra la Romania, la Repubblica ceca e la Germania meridionale, per poi iniziare la sua graduale discesa – tanto graduale che, giunto sulle acque grigiomarroni e turbolente del mare olandese, solo un pugno di passeggeri ha registrato il cambio di nota dei motori. Nei cieli di Londra ha ridisegnato il corso del Tamigi, ha virato a nord nei pressi di Hammersmith (cominciando ad aprire i flap), ha piegato su Uxbridge e, all'altezza di Slough, si è finalmente raddrizzato. Da terra, la luce bianca assume lentamente le forme di un enorme corpo a due piani, con quattro motori sospesi come orecchini sotto le ali sproporzionatamente lunghe. Nella pioggerella le nuvole cariche d'acqua formano un velo alle spalle dell'aereo che incede maestosamente verso la pista di atterraggio. Sotto di lui si stende la periferia di Slough. Sono le tre del pomeriggio. Nelle ville sparse all'intorno si prepara il tè. In un soggiorno la televisione è accesa, il volume azzerato. Ombre rosse e verdi si muovono silenziose sui muri. Un giorno come un altro. E, sopra Slough, un aereo che solo poche ore fa sorvolava il deserto afghano. Afghanistan-Slough: l'aereo un simbolo di mondanità che reca in sé una traccia di tutti i paesi attraversati; la sua eterna mobilità un contrappeso ideale per il senso di costrizione e stagnazione. Stamani il 747 era sulla penisola malese, frase che profuma di guajava e legno di sandalo. E ora, a pochi metri dalla terra che per tante ore ha accuratamente evitato, questo gigante appare immobile, il muso sollevato in una sorta di pausa prima che le sedici ruote posteriori tocchino l'asfalto in un'esplosione di fumo che ne renderà nuovamente manifesti la velocità e il peso.

Intanto, su una pista parallela, un A340 decolla alla volta di New York e, all'altezza del bacino di Staines, ritira flap e carrelli che non gli serviranno più fino all'inizio della discesa, sulle case di assi bianche di Long Beach, quasi cinquemila chilometri e otto ore di oceano e nuvole più in là. Appena visibili nel balenio dei turbofan, altri aerei attendono di partire. Ovunque è un brulicare di uccelli d'acciaio, le loro code una confusione di colori contro l'orizzonte grigio, come vele sulla linea di partenza di una regata.

Alle spalle del Terminal 3 sono allineati quattro bestioni, la cui livrea indica diverse provenienze: Canada, Brasile, Pakistan, Corea. Per qualche ora le punte delle loro ali si sfioreranno, poi ciascuno decollerà per un nuovo viaggio tra i venti della stratosfera. Mentre ogni aereo si dirige a un gate, ha inizio una danza dalla meticolosa coreografia: sotto la sua pancia scivolano furgoni, neri tubi di rifornimento del carburante vengono attaccati alle sue ali, una passerella da sbarco coperta protende le sue labbra gommose e squadrate verso la fusoliera. Le porte delle stive si aprono lasciando uscire alcune casse di alluminio ammaccato, colme forse di frutti che fino a pochi giorni prima pendevano ancora dai rami di alberi tropicali, o di verdure che affondavano le radici nella fertile terra di vallate remote e silenziose. Due addetti in tuta da lavoro issano una piccola scala verso uno dei motori e aprono le lamiere di rivestimento rivelando un intrico di fili e piccole tubature d'acciaio. Dalla parte anteriore di una cabina vengono scaricati cuscini e coperte, mentre scendono passeggeri ai cui occhi questo normalissimo pomeriggio inglese conserverà sempre una sfumatura speciale.

Ma la massima concentrazione di fascino aeroportuale si trova negli schermi dei televisori appesi a decine ai soffitti dei terminal e costantemente impegnati ad annunciare la partenza e l'arrivo dei voli. Schermi assolutamente privi di consapevolezza e pretese estetiche, i cui gusci funzionali e i cui caratteri semplici non fanno nulla per dissimulare la loro carica emotiva e il loro appeal per l'immaginazione. Tokyo,

Amsterdam, Istanbul. Varsavia, Seattle, Rio. Questi televisori hanno tutta la risonanza poetica dell'ultima riga dell'*Ulisse* di Joyce, al tempo stesso testimonianza dei natali del romanzo e, non meno importante, simbolo dello spirito cosmopolita che lo pervadeva: «Trieste, Zurigo, Parigi». L'incessante richiamo degli schermi, talora accompagnati dall'impaziente pulsare di un cursore, ci indica con quanta facilità le nostre vite apparentemente costrette potrebbero cambiare, se solo percorressimo un corridoio per imbarcarci su un aereo che nel giro di poche ore ci depositerebbe in un luogo completamente nuovo, dove nessuno conosce il nostro nome. Quale piacere ricordare, tra i crepacci dei nostri umori, alle tre di un pomeriggio in cui la pigrizia e la disperazione incombono, che c'è sempre un aereo pronto a decollare per un altrove, per il baudelariano «Non importa dove! Non importa dove!»: Trieste, Zurigo, Parigi.

4

Baudelaire ammirava non solo i luoghi di partenza e di arrivo, ma anche i mezzi di locomozione e trasporto, in particolar modo i transatlantici. Egli parlava del «fascino infinito e misterioso che alberga nella contemplazione di una nave» e andava al Port Saint Nicolas di Parigi a guardare le chiatte, i «caboteur», e nei porti di Rouen e della Normandia a vedere le navi più grandi. A colpirlo erano le conquiste tecnologiche che in esse si celavano, l'eleganza di movimento e la tenuta in alto mare di creature tanto pesanti e diverse fra loro. Un grande bastimento lo faceva pensare a «un essere vasto, immenso, complicato ma euritmico... un animale pieno di genio, che soffre e sospira tutti i sospiri e tutte le ambizioni umane».

Sentimenti analoghi possono coglierci al cospetto degli esemplari d'aereo più imponenti, anch'essi creature «vaste» e «complicate», capaci di solcare serenamente i cieli a dispetto delle loro dimensioni e del caos della bassa atmosfera. In effetti vedere un jet parcheggiato a un gate, con i mezzi del trasporto bagagli e i meccanici ridotti a minuscoli nanetti, non può che destare meraviglia, una meraviglia che sfida qualunque spiegazione scientifica di come un aggeggio simile possa spostarsi anche solo di pochi metri, figurarsi volare fino al Giappone. Le case, tra le poche strutture create dall'uomo paragonabili per dimensioni a un aereo, non ci preparano certo all'agilità o alla padronanza di sé di un Jumbo; semmai qualunque edificio va soggetto a infiltrazioni o perdite d'aria e d'acqua, corre il rischio di crollare al minimo movimento della terra e di venir danneggiato dall'azione del vento.

Quanti secondi nella vita possono dirsi intensi ed emozionanti come quelli dell'ascesa di un aereo in cielo? Guardando fuori dall'oblò del nostro apparecchio fermo all'inizio della pista osserviamo uno spettacolo di proporzioni note e familiari: una strada, silo petroliferi, erba, alberghi coi vetri fumé. In poche parole, la terra per come la conosciamo da sempre. Un luogo dove, anche con l'ausilio di un'automobile, avanziamo lentamente, dove per salire in cima a una collina i muscoli dei nostri polpacci devono affrontare uno sforzo, dove, a un chilometro o meno di distanza, c'è sempre un filare di alberi o un muro di case a delimitare il nostro campo visivo. Ma ecco che di colpo, accompagnati dal ringhio fremente dei motori (e con un tintinnio minimo proveniente dai bicchieri stivati nella cucina di bordo), ci solleviamo senza fatica nell'atmosfera, mentre davanti a noi si spalanca un orizzonte in cui possiamo spaziare senza impedimento alcuno. Un viaggio che a terra ci avrebbe richiesto un intero pomeriggio si compie qui nel volgere di un istante, e con un semplice colpo d'occhio attraversiamo il Berkshire, passiamo da Maidenhead, scivoliamo su Bracknell e dominiamo tutta l'M4.

Ma il piacere di questo decollo è anche psicologico, poiché la rapidità dell'ascesa di un aereo è un simbolo esemplare del concetto di trasformazione. Una simile dimostrazione di forza e potere può indurci a immaginare cambiamenti analoghi, e altrettanto decisivi, nella nostra vita; a pensare che un giorno anche noi potremmo innalzarci al di sopra di quanto da sempre incombeva sulle nostre teste.

La nuova prospettiva conferisce ordine e logica al paesaggio: strade che curvano evitando colline, fiumi che si dirigono con precisione verso laghi, piloni che conducono dalle centrali elettriche alle città, vie che da terra sembravano tracciate senza la guida di un'ispirazione e che ora emergono come griglie ben pianificate. L'occhio tenta di leggere ciò che vede in base a ciò che sa esistere, come davanti all'edizione straniera di un libro familiare. Quelle luci devono corrispondere a Newbury, la strada è la A33 all'uscita dalla M4. E pensare che, laggiù, nel mondo in cui viviamo senza quasi mai vederlo, anche la nostra vita è sempre stata così piccola, piccola come appare agli occhi del falco e degli dèi.

I motori non mostrano mai la fatica che gli costa portarci dove ci portano. Si librano in quel gelo inimmaginabile sospingendo con pazienza e umiltà l'aereo, con l'unica richiesta dipinta a lettere rosse sui fianchi di non camminarci sopra e di alimentarli esclusivamente con «Carburante D50TFI-S4» – messaggio, questo, riservato al prossimo team di tecnici in tuta, che ora dormono della grossa a 6500 chilometri da noi.

Quassù non si sprecano parole sui banchi di nuvole. Nessuno giudica straordinario che in un particolare punto sopra l'oceano ci si ritrovi a volare accanto a un'enorme isola di candido zucchero filato, dimora perfetta per un angelo, o per lo stesso Signore Iddio nostro in un quadro di Piero della Francesca. E nessuno, in cabina, si alza per annunciare con la dovuta enfasi che *stiamo volando sopra una nuvola*, esperienza che avrebbe mandato in estasi Leonardo e Poussin, Claude e Constable.

In compenso, il cibo che in qualunque altra cucina ci risulterebbe banale o sgradevole acquista qui, al cospetto delle nuvole, un gusto nuovo e nuovo interesse (come un

43

picnic a base di pane e formaggio che ci delizia solo perché consumato sulla cima di una scogliera a picco sulle onde). Grazie al vassoietto che ci consegnano, ci sentiamo a casa anche in questo luogo inospitale, e con l'aiuto di un panino scongelato e di una porzione incellofanata di patate e maionese facciamo nostro il panorama extraterrestre.

Al nostro sguardo indagatore, le candide amiche si rivelano diverse e inattese. Viste da terra, o nei dipinti, ci appaiono come formazioni orizzontali più o meno ovali, ma da qui assomigliano più a giganteschi obelischi di evanescente crema da barba. La loro vaporosa natura si fa più chiara, esse si rivelano effettivamente più volatili, il prodotto di una recente deflagrazione, entità in continuo mutamento. Resta solo difficile credere che sia davvero impossibile sedercisi sopra.

Baudelaire invece sapeva amare le nuvole.

LO STRANIERO

«Chi ami sopra ogni cosa? Parla, uomo enigmatico! Tuo padre? Tua madre? Un fratello? Una sorella?»

«Non ho né padre né madre, né fratello né sorella.»

«Gli amici?»

«Usate una parola il cui senso, fino ad oggi, mi è rimasto ignoto.»

«La patria?»

«Ignoro sotto quale latitudine si trovi.»

«La bellezza?»

«L'amerei volentieri, dea e immortale.»

«L'oro?»

«Lo odio come voi odiate Dio.»

«Eh! Ma allora che cosa ami, straordinario straniero?»

«Amo le nuvole... le nuvole che passano... laggiù!... laggiù!... le nuvole meravigliose!»

Le nuvole scorrono tranquille. Sotto di noi nemici e colleghi, i luoghi dei nostri terrori e dolori, sono ridotti a graffi infinitesimali sulla crosta della terra. Pur conoscendo già la lezione

della prospettiva, riusciamo ad apprezzarne veramente la portata solo quando premiamo il naso contro il freddo oblò di un aereo, nostro maestro di profonda filosofia – nonché discepolo fedele dell'esortazione baudelairiana:

Treno, portami via! rapiscimi, vascello!
Va' lontano! qui il fango dei nostri pianti è intriso.

5

A parte l'autostrada, non c'erano altre vie di collegamento tra la stazione di servizio e il resto del mondo, nemmeno un semplice sentiero; quel luogo sembrava non appartenere alla città né alla campagna, ma a un regno intermedio, quello del viaggiatore, come un faro al limitare dell'oceano.

Tale condizione di isolamento geografico non faceva che rafforzare l'atmosfera di solitudine nella sala ristorante. L'illuminazione impietosa dava risalto a ogni imperfezione e pallore. Sedie e panche, dipinte a colori di una vivacità infantile, tradivano la falsa allegria di un sorriso forzato. Nessuno parlava, nessuno cedeva alla curiosità o al senso di solidarietà. Fissavamo con indifferenza il bancone o l'oscurità esterna, senza guardarci l'un l'altro, come fossimo seduti soli tra le rocce.

Rimasi nel mio angolo a consumare quadretti di cioccolata e a sorbire sporadiche sorsate di succo d'arancia. Mi sentivo solo, ma per una volta almeno si trattava di una solitudine delicata, addirittura gradevole, perché, anziché manifestarsi contro uno sfondo ilare e amichevole di quelli in cui patisco fortemente il contrasto fra il mio umore e l'ambiente circostante, questa trovava spazio in un luogo dove tutti erano estranei, dove le difficoltà di comunicazione e il bisogno d'amore frustrato sembravano riconosciuti e brutalmente celebrati dagli arredi, dall'architettura e dalle luci.

E con la solitudine affiorò il ricordo di alcune tele di Edward Hopper che, nonostante il vuoto rappresentato, non offrivano affatto una visione desolata ma consentivano anzi allo spettatore di prendere atto di un'eco della propria sofferenza, spogliandola così di una soffocante sfumatura persecutoria. A volte sono proprio i libri più tristi a consolarci della nostra tristezza, ed è in una sperduta stazione di servizio che dovremmo recarci quando non abbiamo nessuno da abbracciare o da amare.

Nel 1906, a ventiquattro anni, Hopper si recò a Parigi dove scoprì la poesia di Baudelaire. Da allora, per tutta la vita avrebbe letto e recitato le sue opere. L'attrazione era peraltro comprensibile: entrambi condividevano un particolare interesse per la solitudine, la vita urbana, la modernità, i luoghi di viaggio e il sollievo portato dalla notte. Nel 1925 Hopper acquistò la sua prima macchina, una Dodge usata, e partì dalla sua casa di New York diretto nel New Mexico. Da quella volta fece in modo di trascorrere sempre qualche mese all'anno in viaggio, dipingendo e disegnando schizzi nelle stanze dei motel, sui sedili posteriori delle auto, per strada e nei diner. Tra il 1941 e il 1955 attraversò l'America cinque volte. Pernottava nei motel Best Western, nelle Del Haven Cabins, negli Alamo Plaza Courts e nelle Blue Top Lodges. Ad attirarlo erano le insegne al neon che lampeggiavano ai margini della strada – «Camere con bagno e televisione» –, i letti con i materassi sottili e le lenzuola fresche, le grandi finestre affacciate su parcheggi o minuscoli e curatissimi fazzoletti d'erba, i misteri degli ospiti che arrivavano tardi e ripartivano all'alba, i dépliant delle attrazioni locali distribuiti alla reception e i carrelli di servizio stracarichi posteggiati nei corridoi silenziosi. Per sfamarsi si fermava nei diner, ai drive-in Hot Shoppe Mighty Mo, alle Steak 'N' Shake o ai Dog 'N' Sudd – e faceva il pieno nelle stazioni col logo Mobil, Standard Oil, Gulf e Blue Sunoco.

In quei paesaggi ignorati e spesso derisi, Hopper trovava la poesia: la *poésie des motels* e la *poésie des petits restaurants au bord d'une route*. I suoi quadri (e i loro titoli evocativi) indicano un interesse costante nei confronti di cinque diversi tipi di luoghi attinenti al viaggio:

1. ALBERGHI
   Stanza d'albergo, 1931
   Atrio d'albergo, 1943
   Stanze per turisti, 1945
   Albergo vicino alla ferrovia, 1952
   Finestra d'albergo, 1956
   Western Motel, 1957

2. STRADE E DISTRIBUTORI DI BENZINA
   Strada nel Maine, 1914
   Benzina, 1940
   Route 6, Eastham, 1941
   Solitudine, 1944
   Strada a quattro corsie, 1956

3. DINER E SELF-SERVICE
   Distributrice automatica, 1927
   Self-service illuminato dal sole, 1958

4. PANORAMI DAI TRENI
   Casa vicino alla ferrovia, 1925
   New York, New Haven e Hartford, 1931
   Rilevato ferroviario, 1932
   Verso Boston, 1936
   Nei pressi di una città, 1946
   Strada con alberi, 1962

5. VISTE ALL'INTERNO DEI TRENI E MATERIALE ROTABILE
   Notte sull'El Train, 1920
   Locomotiva, 1925
   Scompartimento C, Vettura 293, 1938
   Alba in Pennsylvania, 1942
   Carrozza con sedili, 1965

Edward Hopper, *Distributrice automatica*, 1927

Tema dominante è sempre la solitudine. I protagonisti dei quadri di Hopper hanno l'aria di essere tutti lontani da casa, siedono o se ne stanno fermi in piedi da soli, leggono una lettera sul bordo di un letto d'albergo o un libro nell'atrio di una pensione, bevono al banco di un bar o guardano dal finestrino di un treno in movimento. Hanno volti vulnerabili e introspettivi. Forse hanno appena lasciato qualcuno o sono stati lasciati, sono in cerca di lavoro, sesso o compagnia, sono alla deriva in anonimi luoghi di transito. Spesso è notte, e oltre i vetri si spalancano l'oscurità e la minaccia della campagna aperta o di una città straniera.

In *Distributrice automatica* (1927) una donna siede sola davanti a una tazza di caffè. È tardi e, a giudicare dal cappello e dal cappotto, fuori fa freddo. La sala è grande, vivacemente illuminata e vuota. Gli arredi sono funzionali: un tavolo con il ripiano di pietra, robuste sedie di legno nero e pareti bianche. La donna appare a disagio e leggermente spaventata, forse non è abituata a sedere da sola in un locale pubblico. Dev'esserle andato storto qualcosa. Inconsapevolmente invita lo spettatore a immaginare storie sul suo conto, storie di abbandono o tradimento. Mentre si porta la tazza di caffè alle labbra cerca di controllare il tremore della mano. Potrebbero essere le undici di una sera di febbraio in una grande città americana.

Distributrice automatica è un quadro sulla tristezza, eppure non è un quadro triste e ha tutta la forza di un grande pezzo musicale malinconico. Nonostante la nudità degli arredi, il luogo in sé non appare desolato. Forse nella sala ci sono altri avventori solitari, uomini e donne che bevono caffè ciascuno per conto proprio, anche loro smarriti nei pensieri, anche loro staccati dal resto della società: un isolamento comune che ha come benefico effetto collaterale quello di diminuire l'intimo senso di oppressione che chiunque prova nel sentirsi solo. Nei diner ai lati della strada, nelle caffetterie aperte fino a tarda notte, negli atri degli alberghi e nei bar delle stazioni possiamo stemperare il senso di isolamento che ci coglie nei luoghi pubblici, e recuperare così un distintivo senso di appartenenza. L'assenza di intimità domestica, le luci intense e gli arredi anonimi diventano sollievo dai falsi comfort di casa, e forse è più facile trovare uno sfogo per la tristezza qui che non in un soggiorno tappezzato e pieno di foto incorniciate, tratti caratteristici di un rifugio che ci ha abbandonati.

Hopper ci invita a provare empatia per questa donna, che nel suo isolamento appare dignitosissima e generosa, anche se forse un po' troppo fiduciosa e ingenua, come se avesse urtato contro uno spigolo particolarmente duro del mondo. Ci mette insomma dalla sua parte, la parte dell'outsider, che sta fuori, contro quella di chi è integrato e sta dentro. Le figure di Hopper non sono di per sé nemiche dell'ambiente domestico: semplicemente, in modi diversi e indefiniti, la casa sembra averle tradite, obbligandole a scendere per strada, magari in piena notte. Il diner aperto ventiquattr'ore su ventiquattro, la sala d'attesa della stazione o il motel sono santuari per chi, per nobili ragioni, non è riuscito a trovare rifugio nel mondo quotidiano; santuari per coloro che Baudelaire avrebbe potuto onorare dell'appellativo di «poeti».

6

Guidando al crepuscolo su una strada piena di curve che attraversa i boschi, per brevi istanti i fari della macchina illuminano così di netto sezioni dei tronchi e dei campi da permettere di distinguere, nel freddo chiarore adatto più a un reparto ospedaliero che non a un paesaggio naturale, persino le venature della corteccia e i singoli fili d'erba, quindi li lasciano sprofondare nuovamente nella tenebra indifferenziata non appena la macchina, alla curva successiva, dirige la propria attenzione verso un nuovo tratto di terra addormentata.

Sono poche le auto che transitano di qui, rare le paia di

occhi luminosi che vengono incontro dall'opposta direzione nella notte. Le luci del quadro sul cruscotto diffondono un bagliore rossastro nell'abitacolo scuro. Di colpo, in una radura, una parentesi accecante: una stazione di rifornimento, l'ultima prima che la strada affondi nel tratto di foresta più lungo e la notte serri definitivamente la sua presa sul mondo – *Benzina* (1940). Il gestore si è allontanato dal suo casotto per andare a controllare il livello di una pompa. Dentro fa caldo e lo spiazzo è illuminato da una luce degna del sole di mezzogiorno. Forse la radio è accesa. Forse lungo una parete sono ordinatamente allineate delle latte d'olio, accanto a caramelle, giornali, cartine e pelli di daino.

Come *Distributrice automatica*, dipinto tredici anni prima, anche *Benzina* è un quadro che parla di isolamento. Qui una stazione di rifornimento si erge sola nell'oscurità incombente, ma nelle mani di Hopper ecco che l'isolamento diventa ancora una volta seducente e pregnante. Il buio che dilaga dal lato destro della tela, come una nebbia covo di indefinite paure, è in forte contrasto con la sicurezza che promana dalla stazione, e in questo estremo avamposto del genere umano, sullo sfondo della notte e della foresta incontaminata, ci è forse più facile provare un senso di condivisione che non in pieno giorno in una qualsiasi città. La macchinetta del caffè e le riviste, simboli dei piccoli desideri e delle piccole vanità degli uomini, si contrappongono alla vastità del regno esterno non umano, ai chilometri di foresta dove i rami scricchiolano sotto le zampe di orsi e volpi di passaggio. Il consiglio per la prossima estate di dipingerci le unghia di viola, stampato in un rosa impudente sulla copertina di una delle riviste, e il caloroso invito appeso sopra la macchinetta a provare l'aroma dei chicchi appena tostati hanno qualcosa di commovente. In quest'ultima tappa prima di addentrarci nella selva boscosa, insomma, ciò che abbiamo in comune con gli altri può acquistare più peso di quanto ci separa.

Edward Hopper, *Benzina*, 1940

Hopper era affascinato anche dai treni. Ad attirarlo era l'atmosfera delle carrozze semivuote che si fanno strada nel paesaggio: il silenzio che regna al loro interno mentre fuori le ruote sferragliano ritmicamente sui binari e lo stato di trasognamento indotto dal rumore e dal panorama esterno, un trasognamento che pare quasi strapparci a noi stessi e indicarci la via d'accesso a pensieri e ricordi che non riuscirebbero a emergere in circostanze più ordinarie. La donna di *Scompartimento C, Vettura 293* (1938), che legge e fa vagare lo sguardo tra carrozza e paesaggio, sembra trovarsi proprio in questo stato mentale.

I viaggi sono le levatrici del pensiero. Pochi luoghi risultano più favorevoli di un aereo, una nave o un treno in movimento al conversare interiore. Tra ciò che abbiamo davanti agli occhi e i pensieri che coltiviamo nella mente esiste una correlazione singolare: spesso i grandi pensieri hanno bisogno di grandi panorami, quelli nuovi di nuove geografie, e le riflessioni introspettive che rischiano di impantanarsi traggono vantaggio dal fluire del paesaggio. Proprio quando da lei non ci aspettiamo altro, la nostra mente può rivelarsi alquanto riluttante a pensare in maniera efficace – compito paralizzante come raccontare una barzelletta o imitare un accento su richiesta. Pensare riesce meglio quando parti della mente hanno obiettivi diversi, come ascoltare della musica o seguire un filare di alberi. Per un po' la musica o la vista distraggono infatti la parte più nervosa, censoria e concreta della mente, quella incline ad arrendersi alle prime difficoltà che emergono dalla coscienza e a darsela a gambe davanti ai ricordi, ai desideri, alle idee originali o introspettive; la parte che preferisce insomma dedicarsi a compiti impersonali e di routine.

Tra tutti i mezzi di trasporto, il treno costituisce forse l'ausilio migliore per il pensiero: i suoi panorami non hanno nulla della potenziale monotonia di quelli tipici della nave o

Edward Hopper, *Scompartimento C, Vettura 293*, 1938

dell'aereo, si muovono con la rapidità sufficiente a scongiurare la nostra esasperazione e con la lentezza necessaria per consentirci di distinguere gli oggetti. Ci offrono spaccati brevi ma stimolanti di regni privati, mostrandoci una donna nell'atto di prendere una tazza da un ripiano della cucina e subito dopo un patio con un uomo addormentato, e poi ancora un giardino dove un bimbo afferra la palla lanciatagli da una figura invisibile.

Nel corso di un viaggio in pianura mi ritrovo a pensare con rara disinvoltura alla morte di mio padre, a un saggio su Stendhal che sto scrivendo e alla diffidenza reciproca che si è creata fra due miei amici. Ogni volta che la mente si blocca davanti a qualche idea ostica, il flusso della mia coscienza viene soccorso dalla possibilità di guardare fuori dal finestrino, di soffermarmi su un oggetto e seguirlo per qualche secondo, quanto basta perché si riformi un gomitolo di pensieri che di lì a poco andrò a dipanare con calma.

Al termine di ore di trasognamento ferroviario avremo forse la sensazione di tornare in noi stessi, in altre parole di tornare in contatto con emozioni e idee importanti. Ma l'incontro con la nostra parte più autentica non avviene necessariamente a casa, dove anche i mobili ci ripetono che non possiamo cambiare perché non loro cambiano, e l'ordine domestico ci incatena alla persona che siamo nella vita di tutti i giorni senza per questo corrispondere a ciò che siamo nella nostra essenza profonda.

Le stanze d'albergo offrono un'analoga occasione di fuga dai nostri abiti mentali. Sdraiati sul letto di un albergo, nella camera silenziosa a parte l'occasionale fischio di un ascensore nei meandri dell'edificio, siamo liberi di tirare una riga sotto gli avvenimenti che hanno preceduto il nostro arrivo per sorvolare vasti e ignorati spazi della nostra esperienza. Possiamo riflettere sulla nostra vita da un'altezza irraggiungibile nel continuo tran tran quotidiano, sottilmente assistiti nell'impresa dal mondo sconosciuto che ora ci circonda: dalle microsaponette incartate che riposano sul bordo del lavandino, dalla collezione di bottigliette mignon nel mini-bar, dal menu che ci promette servizio continuato in camera per tutta la notte e dalla vista di una città straniera che lentamente si muove venticinque piani sotto di noi.

I bloc-notes forniti dall'albergo possono così trasformarsi in ricettacoli di pensieri inusitatamente intensi e rivelatori, buttati giù alle ore piccole mentre il modulo per la richiesta della colazione (« da appendere fuori dalla porta entro le ore 03.00») giace ignorato sul pavimento, insieme a una cartolina con le previsioni meteorologiche per il giorno dopo e agli auguri di una notte serena da parte della direzione.

8

Come disse una volta Raymond Williams, il valore che attribuiamo al viaggiare, allo spostamento in sé a prescindere dalla meta, ci pone in sintonia con il forte cambiamento di sensibilità avvenuto alla fine del diciottesimo secolo, quando l'outsider, forestiero ed estraneo, cominciò ad apparire moralmente superiore all'insider, locale e stanziale.

> A partire dal tardo diciottesimo secolo il senso di comunanza fraterna non viene più stimolato dalla frequentazione della collettività, bensì dalla peregrinazione. Una dose essenziale di isolamento, solitudine e silenzio diviene così veicolo di natura e fratellanza contro i rigori, la fredda astinenza e il comodo egoismo della società comune.
>
> Raymond Williams, *The Country and the City*

Se nella stazione di servizio e nel motel troviamo una certa poesia, se ci sentiamo attratti dall'aeroporto o dai vagoni di un treno, forse è perché, nonostante la scomodità e i compromessi architettonici, nonostante la luce cruda e i colori abbaglianti, riusciamo a intuire che questi luoghi isolati offrono uno scenario concreto alternativo alla facilità egoista, alle abitudini e alle costrizioni del mondo ordinario e radicato.

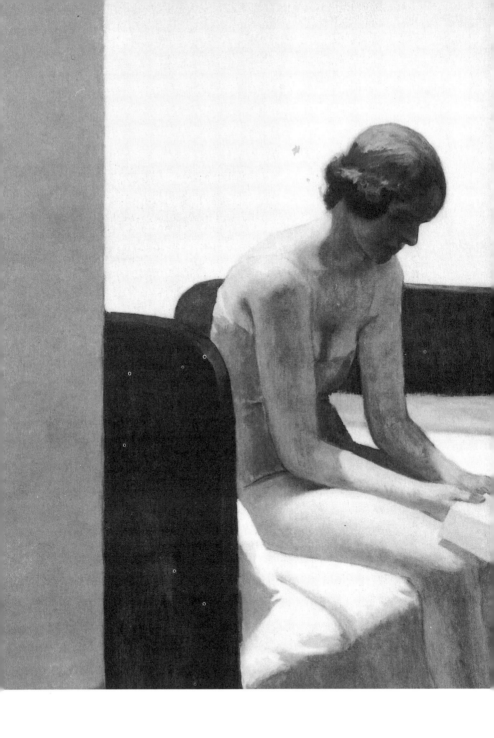

Edward Hopper, *Stanza d'albergo*, 1931

MOTIVAZIONI

III

SUL SENSO DELL'ESOTICO

Luogo	*Amsterdam*
Guida	*Gustave Flaubert*

1

Ero appena sbarcato ad Amsterdam. Nel terminal dell'aeroporto Schiphol restai colpito da un cartello che indicava la direzione della sala arrivi, dell'uscita e dei banchi per i passeggeri in transito. Di un giallo vivace, un metro di altezza per due di larghezza, il cartello aveva un design semplice: una lastra di plastica illuminata in un parallelepipedo di alluminio, appeso con sostegni d'acciaio a un soffitto intessuto di cavi e tubi dell'aria condizionata. Nonostante la sua concretezza e la sua linearità, dunque, mi trasmise un piacere per il quale il termine « esotico » potrebbe apparire insolito ma quanto mai calzante. L'esotismo affiorava in punti precisi: nella doppia *a* di *aankomst*, nella socievolezza della *u* e della *i* di *uitgang*, nell'impiego della doppia dicitura inglese, nel termine locale per banchi – *balies* – e nello spigliato font modernista, Frutiger o Univers.

Se una simile visione mi procurò tanto piacere, in parte fu perché costituiva la prima prova evidente del mio approdo in terra straniera: era dunque un simbolo dell'altrove in senso lato. Certo, all'occhio distratto magari non avrebbe detto molto, ma è un fatto che in Inghilterra cartelli del genere non potrebbero mai esistere in questa forma precisa: ci sarebbe meno giallo, verrebbero privilegiati caratteri più morbidi e nostalgici, mancherebbero – in virtù di una maggiore indifferenza verso lo spaesamento degli stranieri – i sottotitoli in una seconda lingua, e soprattutto non vi sarebbero doppie *a* – ripetizione che, sebbene confusamente, mi parlò subito di una storia e di una mentalità diverse dalla nostra.

Una presa elettrica, il tappo di una vasca da bagno, un vasetto di marmellata o il cartello di un aeroporto possono svelarci assai più di quanto i loro designer non abbiano inteso comunicare, raccontandoci molto della nazione che li ha prodotti. E la nazione che aveva prodotto il cartello all'aeroporto di Schiphol appariva molto lontana dalla mia. Un coraggioso archeologo del carattere nazionale avrebbe forse potuto stabilire un collegamento tra la scelta dei caratteri tipografici e il movimento De Stijl dei primi del secolo scorso, tra la rilevanza della dicitura in inglese, l'apertura degli olandesi alle influenze straniere e la fondazione della Compagnia delle Indie orientali nel 1602, tra la complessiva semplicità del cartello e l'estetica calvinista divenuta parte integrante dell'identità nazionale nel sedicesimo secolo, con la guerra tra le Province Unite e la Spagna.

Che la cartellonistica potesse aver conosciuto sviluppi così diversi in due differenti luoghi non faceva che dimostrare una cosa semplice ma gradevole: che i paesi sono effettivamente diversi tra loro, e così le loro abitudini. Eppure questa differenza da sola non sarebbe mai bastata a procurarmi piacere, o comunque non un piacere duraturo; perché così fosse, era invece necessario che si presentasse come una miglioria rispetto a qualcosa che anche il mio paese era in grado di fare. Se ho definito esotico il cartello di Schiphol è perché, pur nella sua vaghezza, suggeriva intensamente la possibilità che il luogo che lo aveva prodotto e che si spalancava oltre la *uitgang* si rivelasse senz'altro più congeniale al mio temperamento e ai miei interessi rispetto all'Inghilterra. Quel cartello era insomma una promessa di felicità.

2

Tradizionalmente la parola « esotico » è stata associata a cose più vivaci e pittoresche dei cartelli olandesi: agli incantatori di serpenti, agli harem, ai minareti, ai cammelli, ai souk e al tè alla menta che le mani esperte di un baffuto cameriere versano da un'altezza vertiginosa in una fila di piccoli bicchieri allineati su un vassoio.

Nella prima metà del diciannovesimo secolo il termine esotico diventò sinonimo di Medio Oriente. Così scriveva Victor Hugo nella prefazione alla raccolta poetica *Les Orientales*, pubblicata nel 1829: «Oggi l'Oriente ci coinvolge tutti molto più di quanto abbia mai fatto nel passato. Esso è diventato oggetto di interesse generale – interesse al quale l'autore di questo libro si rivolge».

Le poesie di Hugo avevano per protagonisti i personaggi della letteratura orientalista europea: pirati, pascià, sultani, spezie, baffi e dervisci, e tutti sorbivano tè alla menta da piccoli bicchieri. Così come le *Mille e una notte*, i romanzi orientali di Walter Scott e *Il giaurro* di Byron, la sua opera incontrò subito i favori del largo pubblico. Nel gennaio 1832 Eugène Delacroix partì alla volta del Nordafrica per catturare l'esotismo dell'Oriente attraverso la pittura: nel giro di tre mesi dall'arrivo a Tangeri sfoggiava vesti locali e si firmava al fratello come «il tuo africano».

Intanto in Europa persino i luoghi pubblici acquistavano un aspetto più orientaleggiante. Il 14 settembre 1833, dalle rive della Senna nei pressi di Rouen, una folla esultante salutava il passaggio della *Louxor*, nave della Marina militare francese che in una struttura appositamente costruita trasportava da Alessandria d'Egitto a Parigi il gigantesco obelisco prelevato dal complesso dei templi di Tebe e destinato al rondò di place de la Concorde.

Tra i festanti c'era un lunatico dodicenne di nome Gustave Flaubert, il cui più grande desiderio era lasciare Rouen, diventare cammelliere in Egitto e perdere la verginità in un harem in compagnia di una donna dalla pelle olivastra con un lieve accenno di peluria sopra il labbro superiore.

Il dodicenne guardava con disprezzo non solo a Rouen, ma alla Francia intera. Come dichiarò al compagno di scuola Ernest Chevalier, non provava che schifo per quella «brava civiltà» che andava fiera di aver prodotto «ferrovie, veleni,

Eugène Delacroix, *Porte e bovindi in una casa araba*, 1832

pasticcini alla crema, re e regine e la ghigliottina». La sua vita era «sterile, banale e complicata». «Sovente vorrei essere capace di spaccare la testa a coloro che mi circondano» confidava al suo diario. E: «Mi annoio, mi annoio, mi annoio!» La noia della vita in Francia, soprattutto a Rouen, era un tema assai ricorrente: «Oggi la mia noia è stata terribile» annotava sul diario al termine di una brutta domenica. «Ma com'è bella la provincia, e com'è chic la gente agiata e perbene che ci vive. Non fanno che parlare... di tasse e migliorie nella rete stradale. Il *vicino* è un'istituzione meravigliosa. Per ricevere tutta l'importanza che si merita, andrebbe sempre scritto a lettere maiuscole: VICINO.»

Flaubert guardava all'Oriente come a una fonte di sollievo dalla prospera meschinità e dall'orgoglio civico dei luoghi che lo circondavano, e i riferimenti al Medio Oriente pullulano già nelle sue opere e lettere giovanili. In *Rage et impuissance*, racconto scritto nel 1836 a quindici anni (nelle ore di scuola, mentre fantasticava di uccidere il sindaco di Rouen), Flaubert proiettava i suoi sogni orientali su Monsieur Ohmlin, il protagonista principale, che si struggeva per «l'Oriente, con il suo sole infuocato, i suoi cieli azzurri, i suoi minareti dorati... le carovane nel deserto; l'Oriente!... la pelle olivastra e abbronzata delle donne asiatiche!»

Nel 1839 (leggendo Rabelais e in preda al desiderio di scoreggiare tanto forte da farsi sentire in tutta Rouen) Flaubert scrisse un altro racconto, *Les Mémoires d'un fou*, in cui l'autobiografico eroe ripensa alla propria giovinezza trascorsa sognando il Medio Oriente: «Sognavo lontani viaggi nelle regioni del Sud; vedevo l'Oriente e le sue sabbie immense, i suoi palazzi affollati di cammelli con le loro campanelle di bronzo... vedevo onde azzurre, un cielo puro, una sabbia d'argento... una donna dalla pelle bruna, lo sguardo ardente, mi abbracciava e parlava nella lingua delle uri».

Nel 1841 (obbedendo alla volontà del padre aveva lasciato Rouen per andare a studiare legge a Parigi) scrisse un altro racconto, *Novembre*, il cui protagonista non aveva tempo per correr dietro a ferrovie, avvocati e al mondo borghe-se, ma si identificava con i commercianti dell'Est: «Sentirsi curvo sul dorso dei cammelli! Scorgere davanti a sé un cielo rosso, una sabbia scura, l'orizzonte che si stende fiammeg-giante, i terreni ondulati... La sera si piantano i pioli, si rizza la tenda, si abbeverano i dromedari... si accendono i fuochi per allontanare gli sciacalli che urlano nella profondità del deserto... al mattino, si riempiono gli otri ai pozzi dell'oasi».

Nella mente di Flaubert la parola felicità era sinonimo di Oriente. In un momento di disperazione dovuta agli studi, ai fallimenti romantici, alle aspettative dei genitori, al tempo e alle conseguenti lamentazioni dei contadini (pioveva da due settimane e nei pascoli allagati vicino a Rouen le vacche affogavano), così scrisse a Chevalier: «La mia vita, tanto bella nei sogni, tanto poetica, tanto grande, tanto colma d'amore, sarà come quella di chiunque altro: monotona, ragionevole, stupida. Frequenterò la scuola di Legge, entre-rò nell'Ordine e finirò quale rispettabile prefetto in una piccola cittadina di provincia, tipo Yvetot o Dieppe... Po-vero pazzo, che sognava la gloria, l'amore, gli allori, i viaggi, l'Oriente».

Certo i popoli sparsi lungo le coste del Nordafrica, del-l'Arabia Saudita, dell'Egitto, della Palestina e della Siria sa-rebbero rimasti sorpresi nel vedere i loro paesi raggruppati da un giovane francese in un vago sinonimo di tutto quanto esisteva di bello e di buono al mondo. «Lunga vita al sole, agli aranci, alle palme, ai fiori di loto e ai freschi padiglioni dai pavimenti di marmo e dalle stanze foderate di legno che parlano d'amore!» esclamava il giovane. «Vedrò mai le ne-cropoli, dove, al calar della sera, quando i cammelli si sdraia-no a riposare accanto ai pozzi, le iene ululano dai sarcofaghi dei re?»

Le avrebbe viste, sì, perché improvvisamente a ventiquat-tro anni perse il padre e si ritrovò erede di una fortuna che gli avrebbe consentito di accantonare con decisione la car-riera borghese e le relative chiacchiere di bestie affogate a cui sembrava già destinato. Assistito dall'amico Maxime du Camp, compagno di università che condivideva la sua passione per l'Oriente e la combinava con il senso pratico necessario a intraprendere una simile impresa, cominciò dunque a pianificare un viaggio in Egitto.

I due fanatici dell'Oriente lasciarono Parigi alla fine dell'ottobre 1849, si imbarcarono a Marsiglia e, dopo una burrascosa traversata, a metà novembre giunsero ad Alessandria. «A due ore di viaggio dalle coste d'Egitto mi sono recato a prua con il capo timoniere e ho visto il serraglio di Abbas Pasha, simile a una cupola nera sull'azzurro del Mediterraneo» riferì Flaubert alla madre. «Il sole la investiva. La prima visione dell'Oriente mi è giunta attraverso, o meglio sotto forma di un bagliore accecante simile ad argento fuso sul mare. Presto è apparsa la costa, e la prima cosa che abbiamo scorto sulla terraferma è stata una coppia di cammelli condotta da una guida; poi, sul molo, alcuni arabi che pescavano tranquillamente. Abbiamo attraccato nella confusione più assordante: negri, negre, cammelli, turbanti, randellate a destra e a manca, e grida gutturali da spaccare i timpani. Ho fatto un'autentica scorpacciata di colori, come un asino che si ingozza di biada.»

3

Ad Amsterdam presi alloggio in un piccolo albergo del quartiere Jordaan e, dopo aver pranzato in un café (*roggebrood met haring en uitjes*), andai a fare un giro nella zona ovest della città. Ad Alessandria l'esotismo si concentrava tutto nei cammelli, nei pacifici pescatori arabi e nelle grida gutturali della gente per strada. Con le dovute differenze, Amsterdam offrì al sottoscritto esempi di esotismo analoghi: edifici di mattoni rosa pallidi e allungati, tenuti insieme da una calcina curiosamente bianca (assai più regolare che nelle facciate inglesi o nordamericane, e molto più visibile che in quelle

75

francesi o tedesche); interminabili file di strette palazzine novecentesche, con grandi finestre al pianoterra; biciclette davanti a ogni casa e intorno a ogni isolato (come nelle cittadine universitarie); la democratica sciatteria degli arredi stradali; l'assenza di architetture pretenziose; vie diritte costellate di piccoli parchi che facevano pensare a urbanisti animati dalla visione di una città-giardino socialista. In una via di condomini uniformi mi fermai davanti a un portone e provai l'intenso desiderio di trascorrere lì il resto dei miei giorni. Sopra di me, al piano rialzato, si aprivano i tre finestroni senza tende di un appartamento; all'interno i muri erano bianchi, decorati da un unico quadro pieno di puntini rossi e blu, e contro una parete scorsi una scrivania di quercia, una grande libreria e una poltrona. Volevo la vita suggerita da quello spazio. Volevo una bicicletta. Volevo infilare ogni sera la chiave nella serratura di quel portone rosso. All'imbrunire volevo accostarmi al finestrone senza tende per sbirciare in un appartamento identico sul lato opposto della strada, cenando a *erwentsoep met roggebrood en spek* prima di coricarmi in una camera da letto bianca tra lenzuola bianche.

Perché lasciarsi sedurre da un'inezia come il portone di una casa in un paese straniero? Perché innamorarsi di un luogo in virtù dei suoi tram e del fatto che la popolazione locale sembra non avere alcun bisogno di tende? Se l'intensità delle reazioni suscitate da particolari tanto piccoli (e muti) può apparirci assurda, la stessa dinamica ci è però nota a casa nostra: anche qui, infatti, scopriamo di amare qualcuno solo per il modo in cui imburra il pane, o, al contrario, di averlo in antipatia per il suo gusto in materia di scarpe. Condannarci per la piccolezza di simili dettagli significa ignorare la loro potenziale ricchezza di significato.

La mia attrazione per quel preciso edificio si basava sulla percezione di una particolare modestia: era un palazzo con-

Via di Amsterdam

fortevole ma non imponente che mi parlava di una società ispirata al giusto mezzo economico. Il design era semplice. Mentre gli ingressi londinesi erano inclini a scimmiottare il look dei templi classici, ad Amsterdam i portoni sapevano accettare il proprio status, evitavano stucchi e colonne e si accontentavano di lindi mattoni senza fronzoli. Quello stabile era moderno nel senso migliore del termine; sapeva di luce, ordine e pulizia.

Nella sua associazione più banale ed effimera, la parola «esotico» evoca un fascino legato alla semplice idea di novità e cambiamento: alla presenza di cammelli in luogo di cavalli, di condomini lisci e lineari anziché di palazzi decorati da colonne. Ma il piacere può avere origini più profonde: a volte le peculiarità straniere ci colpiscono non solo in quanto novità, ma perché sembrano armonizzarsi con la nostra identità e le nostre passioni più di qualunque altra cosa nel nostro paese.

Il mio entusiasmo ad Amsterdam era uguale e contrario alle mie insoddisfazioni inglesi, alla mancanza di modernità e semplicità estetica della mia terra, alla sua feroce resistenza nei confronti della vita urbana e alla sua mentalità tendinodipendente.

Ciò che all'estero ci appare esotico può essere semplicemente ciò che a casa aneliamo già, ma invano.

4

Per capire come mai Flaubert trovasse tanto esotico l'Egitto potrebbe dunque rivelarsi utile analizzare i suoi sentimenti nei confronti della Francia. In effetti le cose che in Africa lo colpivano come nuove e importanti erano per molti versi le stesse che lo mandavano su tutte le furie in patria, solo di segno opposto. Si trattava, in poche parole, delle credenze e del comportamento della borghesia francese, diventata con il declino di Napoleone la forza sociale dominante, capace di influenzare in maniera decisiva stampa, politica, morale e vita pubblica. In seno alla borghesia albergavano, secondo Flaubert, la pruderie, lo snobismo, il compiacimento, il razzismo e la pomposità più estremi: «È strano come a volte le più banali esternazioni [della borghesia] mi sorprendano» lamentava, mordendo il freno della rabbia. «Vi sono gesti, suoni di voci che non riesco a tollerare, commenti idioti che quasi mi danno le vertigini... il borghese... è per me qualcosa di insondabile.» Ciononostante, trascorse trent'anni cercando di sondarlo, per poi sistematizzare i suoi tentativi nel *Dizionario dei luoghi comuni*, satirico catalogo delle pusillanimità e dei pregiudizi più biechi della borghesia francese.

Basta raggruppare poche voci di questo dizionario per farsi un'idea della natura del suo scontento verso la madrepatria – scontento su cui avrebbe edificato il proprio entusiasmo per l'Egitto:

Diffidenza nei confronti dell'impegno artistico

ASSENZIO. Veleno ultraviolento: un bicchiere e siete morti. I giornalisti lo bevono mentre scrivono i loro articoli. Ha ucciso più francesi degli stessi beduini.

ARCHITETTI. Tutti imbecilli. Fanno le case e si dimenticano sempre le scale.

Intolleranza e ignoranza verso gli altri paesi (e i loro animali)

INGLESI (le). Stupirsi del fatto che abbiano dei bei bambini.

CAMMELLO. Ha due gobbe e il dromedario ne ha una sola. Oppure è il cammello che ha una gobba e il dromedario due (si fa confusione).

ELEFANTI. Si distinguono per la memoria e adorano il sole.

FRANCESE. Il primo popolo dell'universo.

ALBERGHI. Sono buoni soltanto in Svizzera.

ITALIANI. Tutti traditori. Tutti musicisti.

JOHN BULL. Quando non si sa il nome di un inglese, lo si chiama John Bull.

CORANO. Libro di Maometto che parla solo di donne.

NEGRI. Stupirsi perché hanno la saliva bianca e parlano francese.

NEGRE. Più calde delle bianche (v. *brune* e *bionde*).

NERO. Sempre seguito da ebano.

OASI. Locanda nel deserto.

ODALISCHE. In Oriente tutte le donne sono odalische.

PALMA. Conferisce colore locale.

Machismo, serietà

PUGNO. Per governare la Francia, occorre il pugno di ferro.

FUCILE. Averne sempre uno in campagna.

BARBA. Segno di forza. Troppa barba fa cadere i capelli. Utile per proteggere le cravatte.

Flaubert a Louise Colet, agosto 1846: « Quel che mi impedisce di prendermi sul serio, anche se ho lo spirito piuttosto grave, è il fatto che mi trovo molto ridicolo, non di quella relativa ridicolaggine che fa la comicità teatrale, ma di quella ridicolaggine intrinseca alla vita umana di per se stessa e che balza fuori dall'azione più semplice o dal gesto più comune. Per esempio mai mi faccio la barba senza ridere, tanto la cosa mi pare stupida. Tutto questo è molto difficile da spiegare... »

Sentimentalismo

BESTIA. Ah! Se le bestie potessero parlare! Certe sono più intelligenti degli uomini.

COMUNIONE. Prima comunione: il più bel giorno della vita.

ISPIRAZIONE POETICA. Cose che la provocano: la vista del mare, l'amore, le donne, eccetera.

ILLUSIONI. Fingere di averne molte. Rimpiangere la loro perdita.

Fede nel progresso; orgoglio per la tecnologia

FERROVIE. Andare in estasi per la loro invenzione e dire: «Io che vi sto parlando, caro signore, stamattina ero a X...; ho preso il treno per Y...; sono arrivato, ho fatto tutto quello che dovevo fare e all'ora Z ero già tornato!»

Autorevolezza

BIBBIA. Il libro più antico del mondo.

CAMERA DA LETTO. In un vecchio castello, Enrico IV ci si è immancabilmente fermato una notte.

FUNGHI. Mangiare soltanto quelli che vengono dal mercato.

CROCIATE. Utili soltanto per il commercio di Venezia.

DIDEROT. Sempre seguito da «d'Alembert».

MELONE. Buon argomento di conversazione a tavola. Sarà un ortaggio? Sarà un frutto? Gli inglesi lo mangiano come dessert, il che stupisce.

PASSEGGIATA. Fare sempre una passeggiata dopo pranzo: agevola la digestione.

SERPENTI. Tutti velenosi.

VEGLIARDO. A proposito di un'inondazione, di una tempesta, eccetera, i vegliardi del paese non si ricordano di averne mai vista una simile.

Perbenismo, sessualità repressa

BIONDE. Più calde delle brune (v. *brune*).

BRUNE. Più calde delle bionde (v. *bionde*).

COITO, COPULA. Da evitare. Dire: «Avevano rapporti...»

A questo punto l'interesse di Flaubert per il Medio Oriente non appare più come una mera coincidenza o una semplice moda: semmai come un'accoppiata del tutto logica dal punto di vista temperamentale. Le cose che amava dell'Egitto erano infatti riconducibili ad altrettante, fondamentali sfaccettature della sua personalità, ed esso non era che un luogo in grado di sostenere idee e valori – già parte integrante della sua identità – verso cui la Francia aveva invece mostrato scarsa simpatia.

1. L'ESOTISMO DEL CAOS

Fin dal giorno del suo sbarco ad Alessandria Flaubert si accorse del caos, sia visivo che sonoro, della vita egiziana e si sentì perfettamente a suo agio: marinai che gridavano, facchini nubiani che sputavano, venditori che mercanteggiavano, le grida dei polli uccisi e degli asini frustati, i brontolii dei cammelli. Per le strade incontrava «suoni gutturali che ricordano l'urlo delle belve, risate, svolazzanti vesti bianche, dentature d'avorio che luccicano tra labbra carnose e nasi camusi di negri, piedi impolverati, collane e braccialì». «È come ritrovarsi scaraventati ancora dormienti nel bel mezzo di una sinfonia di Beethoven, tra squilli d'ottoni, tuoni di grancasse e sospiri di flauti; ogni particolare cerca di afferrarti; ti tormenta; e più ti concentri su di esso, meno cogli l'insieme... È un tale caos disorientante di colori che la tua povera immaginazione resta abbacinata come da una continua esplosione pirotecnica, mentre ti aggiri guardando minareti coperti di cicogne bianche, schiavi stanchi sdraiati al sole sulle terrazze delle case e intrichi di rami di sicomori sui muri, le campanelle dei cammelli che ti risuonano nelle orecchie e vaste greggi di capre nere che belano nelle strade in mezzo a cavalli, asini e venditori ambulanti.»

Il bazar dei venditori di seta, litografia di Louis Haghe su un
disegno di David Roberts

Il senso estetico di Flaubert era appagato. Amava il porpora, l'oro e il turchese, dunque salutò con gioia l'architettura egiziana. Nel suo *The Manners and Customs of the Modern Egyptians*, pubblicato nel 1833 e riveduto e corretto nel 1842, il viaggiatore inglese Edward Lane descriveva i tipici interni delle case dei mercanti egiziani: «Oltre alle finestre a griglia ve ne sono altre, in vetro colorato, che riproducono mazzi di fiori, pavoni e altri oggetti vivaci e festosi, o anche motivi semplici ma belli... Alle pareti intonacate di certe abitazioni sono appesi rozzi quadri della moschea della Mecca, o della tomba del Profeta, o di fiori e altri oggetti dipinti da artisti musulmani del posto... Talvolta le pareti sono magnificamente abbellite da iscrizioni di massime in ornato stile arabo».

La qualità barocca dell'Egitto si applicava anche al linguaggio correntemente usato dagli autoctoni. Flaubert ne riportava alcuni esempi: «Poco fa stavo osservando certe sementi in un negozio, quando una donna a cui avevo dato qualcosa mi ha detto: 'Che Dio ti benedica, mio dolce signore, e che tu possa fare ritorno sano e salvo nella tua terra natia'... E quando Max ha chiesto a un giovane sposo se non fosse stanco, la risposta è stata: 'Il piacere di apparire alla tua vista è ricompensa sufficiente'».

Perché il caos, la sua ricchezza, ebbe tale impatto su di lui? Perché Flaubert era già convinto che la vita fosse fondamentalmente caotica e che, arte esclusa, i tentativi di creare ordine implicassero la negazione moralistica e censoria di una condizione essenziale dell'uomo. Di questi sentimenti parlò a Louise Colet in occasione di un viaggio a Londra nel settembre del 1851, a pochi mesi dal rientro dall'Egitto: «Siamo appena tornati da una passeggiata nel cimitero di Highgate. Quale rozzo esempio di corruzione dell'architettura egiziana ed etrusca! Così pulito e ordinato! Si direbbe quasi che la gente vi sia perita indossando i guanti bianchi. Odio quei giardinetti intorno alle tombe, con le loro aiuole ben rastrellate e i fiori tutti sbocciati. Un'antitesi che mi è

Case private al Cairo, da *An Account of the Manners and Customs of the Modern Egyptians* di Edward Lane, 1842

sempre parsa uscita da un brutto romanzo. In fatto di cimiteri, la mia preferenza va a quelli trascurati, maltenuti, in rovina, pieni di spine e di erbacce alte, dove una mucca scappata da un vicino campo viene a brucare in quieta solitudine. Ammetterai che è certo meglio di un poliziotto in uniforme! Quant'è stupido l'ordine!»

2. L'ESOTISMO DELLA CACCA D'ASINO

«Ieri siamo entrati in uno dei migliori café del Cairo» scriveva Flaubert qualche mese dopo l'arrivo nella capitale, «e insieme a noi là dentro c'erano un asino che cagava e un gentiluomo che pisciava in un cantuccio. Nessuno trova la cosa strana, nessuno dice niente.» E, agli occhi del francese, era giusto così.

Punto centrale nella sua filosofia era che noi esseri umani non siamo semplici creature spirituali ma anche creature che pisciano e cagano, e che dovremmo quindi integrare nella nostra visione del mondo le ramificazioni di questa cruda realtà. «Non posso credere che, fatto com'è d'argilla e di merda e attrezzato d'istinti più bassi di quelli del porco o del pidocchio, il nostro corpo contenga alcunché di puro e immateriale» diceva a Ernest Chevalier. Il che non significa che siamo privi di dimensioni più elevate, ma che il moralismo e l'ipocrita sicurezza dell'epoca avevano stimolato in Flaubert il desiderio di ricordare a tutti le impurità proprie della razza umana. E, occasionalmente, di prendere le parti dei pisciatori da bar – quando non dello stesso Marchese de Sade, campione della sodomia, dell'incesto, dello stupro e della pedofilia. («Ho appena letto un articolo biografico su de Sade scritto dal [celebre critico] Janin» riferiva a Chevalier «che mi ha colmato di repulsione – repulsione per Janin, inutile dire: il quale difendeva la moralità, la filantropia, le vergini deflorate...»)

Ciò che Flaubert trovò e salutò con gioia nella cultura egiziana fu la disponibilità ad accettare la dualità della vita:

merda-mente, vita-morte, sessualità-purezza, sanità-follia. Nei ristoranti era possibile ruttare di gusto, e un bimbetto di sei o sette anni che un giorno lo incrociò per le vie del Cairo gli rivolse questo saluto: «Le auguro ogni fortuna, signore, soprattutto un cazzo lungo». Flaubert non fu certo il solo ad accorgersi di tale dualità; anche Edward Lane la notò, solo che la sua reazione fu più simile a quella di Janin: «In Egitto persone di ambo i sessi, e di ogni estrazione sociale, indulgono in conversazioni di natura licenziosa; persino le donne più rispettabili e virtuose. Sovente si odono da persone perfettamente colte espressioni così oscene da esser degne solo del peggiore dei bordelli; e, senza rendersi conto della loro indecorosità alle orecchie degli uomini, le donne più nobili nominano cose e parlano di argomenti che la maggior parte delle prostitute del nostro paese si asterrebbe anche solo dal menzionare».

3. L'ESOTISMO DEI CAMMELLI

«Una delle cose più belle» riferiva ancora Flaubert dal Cairo «è il cammello; non mi stanco mai di osservare questa strana bestia dall'incedere asinino e dal collo sinuoso come un cigno. Mi sgolo a furia di imitarne il verso – spero di riportarlo indietro con me, ma è difficile – un tintinnio accompagnato da una sorta di tremulo gargarismo.» Qualche mese dopo la partenza dall'Egitto scrisse a un amico di famiglia una lista delle cose che più lo avevano colpito: le piramidi, il tempio di Karnak, la Valle dei Re, certe danzatrici del Cairo, un pittore chiamato Hassan el Bilbeis. «Ma la mia vera passione resta il cammello (non pensate, vi prego, ch'io stia scherzando), poiché nulla supera in grazia questo animale melanconico e singolare. Dovreste vederli nel deserto, quando avanzano in fila contro l'orizzonte, come soldati, i colli tesi in avanti come struzzi; e camminano, camminano, camminano...»

A cosa era dovuta una tale ammirazione per il cammello?

Flaubert si identificava con questo animale per il suo stoicismo e il suo curioso portamento, ed era commosso dalla sua espressione triste, dalla strana combinazione tra goffaggine e fatalistica resistenza. Per certi versi anche gli egiziani sembravano condividere talune qualità del cammello: la sua forza silenziosa, per esempio, e un'umiltà che contrastava con l'arroganza borghese dei normanni vicini di Flaubert.

Il quale sin dall'infanzia aveva mostrato un certo risentimento verso l'ottimismo dei suoi connazionali – risentimento che in *Madame Bovary* si era espresso nella descrizione della crudele fede scientifica che animava il personaggio più odioso del romanzo, Homais il farmacista – e il suo sguardo era ovviamente assai più cupo: « Alla fine della giornata, merda. Con questa potente parola puoi consolarti di tutte le miserie dell'uomo, perciò mi piace ripeterla: merda, merda ». Una filosofia che si rifletteva nello sguardo mesto e nobile, e tuttavia lievemente malizioso, del cammello egiziano.

6

Ad Amsterdam, all'angolo tra Tweede Helmers Straat ed Eerste Constantijn Huygens Straat, noto una ragazza sui trent'anni che spinge una bicicletta lungo il marciapiede. I capelli ramati sono raccolti in una crocchia, indossa un lungo cappotto grigio, un pullover arancione, scarpe basse marroni e un paio di occhiali dalla foggia semplice e pratica. Penso che dev'essere del quartiere, perché cammina a passo sicuro e senza mostrare particolare curiosità per i dintorni. In un cestino appeso al manubrio della bici ci sono una forma di pane e un cartone con sopra scritto *Goodappeltje*, ed è evidente che non trova proprio niente di strano in quell'accostamento tra una *t* e una *j* sulla confezione di succo di mela. Così come non trova per niente strano il fatto di prendere la bici per andare a fare la spesa, o esotici gli isolati di case alte e strette con i ganci ancorati all'ultimo piano per issare i mobili.

E il desiderio risveglia il bisogno di sapere. Dov'è diretta la ragazza? A cosa starà pensando? Chi sono i suoi amici? Sul battello che condusse Flaubert e Du Camp a Marsiglia, dove si imbarcarono sul vaporetto per Alessandria, il primo era stato assalito da analoghi interrogativi sul conto di un'altra ragazza. Mentre i passeggeri contemplavano con aria distratta il panorama, sul ponte gli occhi di Flaubert si erano posati su una giovane. Come scrisse nel suo diario di viaggio egiziano, era «una creatura giovane e slanciata, con un lungo velo verde sopra il cappello di paglia. Sotto la giacca di seta indossava una piccola redingote con colletto di velluto e tasche su entrambi i lati, dove teneva infilate le mani. Sul davanti correvano due file di bottoni, che la stringevano saldamente mettendo in risalto la linea dei fianchi, da cui cadevano le generose pieghe del vestito che il vento faceva frusciare contro le sue ginocchia. Aveva aderenti guanti neri e ha trascorso la maggior parte del viaggio appoggiata alla balaustra, contemplando le rive del fiume... Sono ossessionato dal bisogno di inventare storie per le persone che incontro. Una curiosità incontenibile fa sì ch'io mi chieda che razza di vita possano condurre. Vorrei conoscerne il mestiere, la nazionalità, il nome, i pensieri di quel preciso momento, i rimpianti, le speranze, gli amori passati, i sogni di oggi... e quando si tratta di una donna (in special modo giovane), allora il bisogno si fa ancora più acuto. Ecco che subito vorresti vederla nuda, ammettilo, nuda fin nel cuore. Cerchi di scoprire da dove provenga, dove sia diretta, perché si trovi qui e non altrove! Mentre i tuoi occhi la esplorano immagini i suoi amori, e le attribuisci profondità di sentimenti. Pensi alla camera da letto che deve avere, e a migliaia di cose ancora... giù giù fino alle pantofoline consunte in cui infila i piedi quando si alza».

Al fascino che una persona già può esercitare nel nostro paese si aggiunge, in terra esotica, l'attrazione derivante dal luogo. Se è vero che l'amore è la ricerca negli altri di qualità assenti in noi stessi, allora nel nostro amore per una persona di origini diverse può albergare l'ambizione di unirci più profondamente a valori assenti nella nostra cultura.

Nei suoi dipinti marocchini Delacroix pare suggerirci che il desiderio di un luogo può in parallelo alimentare il desiderio d'incontro con le popolazioni che lo abitano. Così come capitava a Flaubert con le passanti per strada, davanti a *Donne d'Algeri nei loro appartamenti* (1834) anche noi possiamo dunque provare l'impulso di conoscerne «i pensieri di quel preciso momento, i rimpianti, le speranze, gli amori passati, i sogni di oggi...»

Benché mercenaria, la leggendaria esperienza sessuale di Flaubert in Egitto non fu affatto priva di sentimento. La vicenda ebbe luogo in una cittadina sulla sponda occidentale del Nilo, una cinquantina di chilometri a sud di Luxor. Flaubert e Du Camp si erano fermati a Esna per la notte ed erano stati presentati a una famosa cortigiana che godeva della reputazione di *almeh*, ovvero donna colta. Il termine prostituta non renderebbe certo onore alla dignità del ruolo di Kuchuk Hanem. Flaubert la desiderò sin dal primo momento: «La sua pelle, in particolar modo quella del corpo, è color caffè chiaro. Quando si china, le sue carni si increspano in pieghe bronzee. I suoi occhi sono scuri ed enormi, le ciglia nere, le narici ampie e aperte. Ha spalle pesanti, piene, seni a forma di mela... i capelli neri, ondulati, ribelli, tirati all'indietro sui lati, da una scriminatura centrale che principia sulla fronte... l'incisivo superiore destro ha un inizio di carie».

Kuchuk invitò dunque Flaubert nella sua umile casa. Era una serata insolitamente fredda, il cielo terso. Così scrisse il francese nel suo bloc-notes: «Siamo andati a letto... Lei si è addormentata con la mano nella mia. Russava. Il flebile bagliore della lampada proiettava sulla sua bella fronte un triangolo di luce del colore del metallo sbiadito; il resto del viso era in ombra. Il cagnolino dormiva sul divano, sopra la mia giacca di seta. Si era lamentata della tosse, perciò ho posato la mia mantella sulla sua coperta... Sono sprofondato

Eugène Delacroix, *Donne d'Algeri nei loro appartamenti*, 1834

nei sogni a occhi aperti, abbandonandomi alle reminiscenze. Il suo ventre contro le mie natiche. Il monticello, più caldo del ventre, mi rendeva incandescente come l'acciaio... in questa pressione ci siamo detti un sacco di cose. Mentre dormiva continuava a contrarre meccanicamente le mani e le cosce, come in preda a involontari brividi... Sarebbe assai lusinghiero per l'orgoglio se, andandocene, potessimo essere certi di lasciare dietro di noi un ricordo, sapere che a noi pensa più di quanto non pensi a tutti gli altri che sono stati qui, che resteremo nel suo cuore».

I ricordi e le immagini di Kuchuk Hanem lo accompagnarono per tutto il viaggio lungo il Nilo e, al ritorno da Philae e Aswan, i due francesi fecero nuovamente tappa a Esna per rivederla. L'incontro rese Flaubert ancor più malinconico: «Tristezza infinita... questa è la fine; non la rivedrò mai più, e gradualmente il suo viso svanirà dalla mia memoria». Invece non svanì mai.

7

Dei sogni esotici abbiamo già imparato a diffidare da quei viaggiatori europei che in Oriente trascorsero memorabili notti con donne locali. L'entusiasmo di Flaubert per l'Egitto rappresentava dunque la semplice fantasia di trovare un'alternativa a una patria verso cui provava solo risentimento? Un'infantile idealizzazione dell'«Oriente» sopravvissuta all'età adulta?

Per quanto vaga fosse stata la sua idea di Egitto all'inizio del viaggio, al termine di nove mesi di permanenza Flaubert sentiva di poter rivendicare un'autentica comprensione di quella terra. Tre giorni dopo lo sbarco ad Alessandria si era messo a studiare la storia e la lingua locali, assoldando a tre franchi l'ora un insegnante che per quattro ore al giorno lo erudisse in materia di usi e costumi islamici. Due mesi più tardi fissò le coordinate per un libro sulle abitudini del

Flaubert nel giardino dell'albergo al Cairo, 1850

paese (*Usi dell'Islam*, mai scritto) che avrebbe dovuto contenere capitoli dedicati alla nascita, alla circoncisione, al matrimonio, al pellegrinaggio alla Mecca, ai riti funebri e al giorno del Giudizio. Leggendo *Les Livres sacrés de l'Orient*, di Guillaume Pauthier, imparò a memoria interi passi del Corano, e si procurò i principali testi europei sull'Egitto, tra i quali il *Voyage en Egypte et en Syrie*, di C.F. Volney, e i *Voyages en Perse et autres lieux de l'Orient*, di Chardin. Al Cairo incontrò e intrattenne conversazioni con il vescovo copto e visitò la comunità armena, quella greca e quella sunnita. Grazie alla carnagione olivastra, alla barba e ai baffi e alla sua padronanza della lingua, inoltre, non era raro che lo scambiassero per un autoctono. Si aggirava con un ampio camicione nubiano di cotone bianco, bordato di pompon rossi, e si rasava la testa risparmiando un unico ricciolo nella zona occipitale, «quello da cui Maometto ti afferra per sollevarti nel giorno del Giudizio». Come spiegò alla madre, si attribuì anche un nome locale: «Giacché gli egiziani sono in grande difficoltà a pronunciare i nomi francesi, ne inventano per noi di loro. Indovinate un po'? Abu-Chanab, che significa 'Padre del mustacchio'. La parola *abu*, padre, viene appiccicata a tutto quanto vi è di importante nei discorsi – e dunque i mercanti li chiamano, a seconda di ciò che vendono, Padre delle scarpe, Padre della colla, Padre della senape, ecc.».

Comprendere appieno l'Egitto significò scoprire che non era in tutto e per tutto come gli era apparso dalla distanza di Rouen e, naturalmente, vi furono anche le delusioni. A giudicare dal resoconto di viaggio scritto molti anni più tardi da un Maxime du Camp ormai amareggiato – e attento a prendere di mira un autore assai più acclamato di lui e a cui non era più vicino come un tempo – Flaubert era, incomprensibilmente, tanto annoiato sul Nilo quanto lo era stato a Rouen: «Egli non condivideva affatto la mia esultanza, ma se ne stava zitto e ritirato. Aborriva il movimento e l'azione. Se solo avesse potuto, gli sarebbe piaciuto viaggiare mollemente sdraiato su un sofà e vedersi sfilare il panorama, le rovine e le città davanti agli occhi come le immagini di un caleidoscopio meccanico. Mi ero accorto del suo svigorimento e della sua noia sin dai primi giorni al Cairo: alla fine, il viaggio agognato come un sogno e che tanto impossibile sembrava da realizzare non lo appagava più. Volli essere diretto; gli dissi: 'Se vuoi tornare in Francia, ordinerò al mio servitore di venire con te'. 'No' rispose lui, 'ormai sono partito e arriverò in fondo. Tu occupati degli itinerari e io mi adatterò – girare a destra o a sinistra non fa differenza per me.' I templi gli sembravano sempre tutti uguali, le moschee e i paesaggi identici. Non so neppure se guardandosi intorno sull'isola di Elephantine non sospirasse al ricordo dei campi di Sotteville, o davanti al Nilo non lo cogliesse la nostalgia della Senna».

Sicuramente l'attacco di Du Camp non era del tutto ingiustificato. In un momento di sconforto, nei pressi di Aswan, Flaubert annotò sul suo diario: «I templi egizi mi annoiano profondamente. Diventeranno come le chiese della Bretagna, o le cascate dei Pirenei? Oh, necessità! Agire come da noi ci si aspetta; essere sempre, a seconda delle circostanze (e a dispetto dell'avversione del momento), ciò che ci si aspetta da un giovane, da un turista, un artista, un figlio, un cittadino ecc.». E a distanza di pochi giorni, in un accampamento a Philae, continuò: «Non mi muovo dall'isola e sono depresso. Cos'è mai, Signore, questa perenne debolezza che mi porto addosso?... La tunica di Deianira non era meno incollata alla schiena di Eracle di quanto la noia non sia alla mia vita! Solo, la divora più lentamente, ecco tutto».

E nonostante avesse sperato di sottrarsi a quella che considerava la straordinaria stupidità della moderna borghesia europea, Flaubert scoprì che essa lo perseguitava ovunque: «La stupidità è qualcosa di inalterabile; non puoi pensare di attaccarla senza venirne spezzato... Ad Alessandria, un certo Thompson di Sunderland ha inciso il suo nome a lettere alte quasi due metri sulla Colonna di Pompeo. Lo si legge a mezzo chilometro di distanza. Impossibile guardare la Colonna senza vedere anche il nome di Thompson e, per conseguenza, senza pensare a Thompson. Questo cretino è diventato parte integrante del monumento, e con esso si perpetua. Ma che dico? Addirittura lo sopraffà con l'imponenza delle sue lettere gigantesche... Tutti gli imbecilli sono in varia misura dei Thompson di Sunderland. Quanti ne incontriamo nei luoghi più belli e dinanzi agli spettacoli più emozionanti? Viaggiando, molti di certo... ma giacché si allontanano in fretta, se ne può ridere. Non come nella vita normale, dove finiscono per farti imbestialire».

Eppure nulla di tutto ciò significava che l'attrazione di Flaubert per l'Egitto fosse stata un errore. Semplicemente, aveva sostituito a un'immagine assurdamente idealizzata una più realistica ma altrettanto ammirata, passando così da una cotta giovanile a un amore maturo. Irritato dalla caricatura che Du Camp aveva fatto di lui, ritraendolo come il turista deluso, scrisse perciò ad Alfred le Poitevin: «Un borghese direbbe: 'Se parti, resterai enormemente deluso'. Ma raramente in vita mia ho provato delusione, avendo coltivato così poche illusioni. Che razza di stupido stereotipo, glorificare sempre la menzogna e dire che la poesia vive di illusioni!»

E alla madre spiegò chiaramente cosa gli aveva lasciato quel viaggio: «Mi chiedete se l'Oriente sia all'altezza delle mie aspettative. Ebbene sì, lo è; anzi, supera di gran lunga l'idea limitata che ne avevo. Qui ho trovato, chiaramente delineato, tutto ciò che nella mia mente esisteva in modo solo confuso».

8

Al momento di ripartire, Flaubert cadde in preda alla disperazione. «Quando rivedrò una palma? Quando tornerò a montare un dromedario?...» si chiedeva, e in effetti per il resto dei suoi giorni sarebbe riandato col pensiero all'Egitto.

96

Poco prima di morire, nel 1880, diceva ancora alla nipote Caroline: «Nelle scorse due settimane sono stato colto dal desiderio di rivedere una palma sullo sfondo del cielo azzurro, di udire una cicogna battere il becco sulla cima di un minareto».

Potremmo dunque guardare all'ininterrotto rapporto di Flaubert con l'Egitto come a un invito ad approfondire e a rispettare sempre il senso di istintiva attrazione verso certi paesi. Fin dall'adolescenza Flaubert aveva ribadito di non sentirsi affatto francese, e il suo odio verso la patria e i connazionali era stato tale da trasformare la sua condizione di cittadinanza in un'amara beffa del destino. Per questa ragione egli propose un nuovo criterio di attribuzione della nazionalità: non in base al paese di nascita o di appartenenza dei genitori, bensì in funzione dei luoghi verso cui il singolo individuo si sentiva attratto. (Dopodiché gli parve logico applicare questo più flessibile concetto di identità ai campi del genere e della specie, e in più di un'occasione dichiarò di essere, a dispetto di tutte le apparenze, una donna, un cammello e un orso. «Voglio comprarmi un bell'orso, un quadro di un orso, incorniciarlo e appenderlo nella mia stanza, con sotto scritto *Ritratto di Gustave Flaubert*, a suggerire la mia disposizione morale e i miei costumi sociali.»)

Il primo abbozzo dell'idea di appartenere a un luogo diverso dalla Francia fece capolino in una lettera scritta da giovanissimo al ritorno da una vacanza in Corsica: «Sono disgustato di essere tornato in questo maledetto paese dove il sole in cielo si mostra con la stessa frequenza con cui si vedono diamanti in culo ai porci. Non me ne frega un accidente della Normandia e della *belle France*... credo di essere stato trasportato dai venti fino a questa terra di fango; di certo sono nato altrove – ho sempre avuto quelli che paiono ricordi o intuizioni di coste olezzanti e mari blu. Sono nato per essere imperatore della Cocincina, per fumare pipe lunghe trenta metri, per avere 6000 mogli e 1400 efebi, scimitarre con cui mozzare teste che non mi piacciono, cavalli della Numidia, marmoree piscine...»

L'alternativa alla *belle France* poteva forse essere ancora impraticabile, ma il concetto fondamentale, la convinzione di essere stato «trasportato dai venti», avrebbe trovato rinnovata e più ragionata espressione nel corso della sua maturità. Di ritorno dall'Egitto, si sforzò di spiegare la sua nuova teoria sull'identità nazionale (non sulla specie, né sul genere) a Louise Colet («mia sultana»): «Quanto all'idea di patria, cioè all'idea di una certa porzione di terra disegnata sulla carta e separata dalle altre da una linea rossa o blu, no, la patria è per me il paese che amo, cioè quello che sogno, quello in cui sto bene. Sono Cinese quanto Francese, e non mi rallegro affatto delle nostre vittorie sugli Arabi perché mi rattristano i loro rovesci. Mi piace questo popolo aspro, tenace, vivace, ultimo esemplare delle società primitive e che, nelle soste di mezzogiorno, sdraiato all'ombra, sotto il ventre delle sue cammelle, irride fumando la pipa la nostra valorosa civiltà che ne freme di rabbia».

Louise rispose che pensarlo cinese o arabo le pareva assurdo, ragion per cui di lì a pochi giorni il romanziere tornò alla carica con una lettera dai toni enfatici e irritati: «Non sono più moderno che antico, più Francese che Cinese, e l'idea della patria, cioè l'obbligo in cui si è di vivere su un angolo di terra segnato in rosso o in blu sulla carta e di detestare tutti gli altri angoli in verde o in nero, mi è sempre parsa troppo stretta, limitata e di una feroce stupidità. Sono fratello in Dio di tutto ciò che vive, della giraffa e del coccodrillo come dell'uomo...»

Tutti noi siamo stati arbitrariamente sparpagliati all'intorno dai venti della nascita ma, diversamente da Flaubert, una volta cresciuti abbiamo goduto della libertà immaginativa necessaria a ricostruire la nostra identità in maniera più consona alle nostre intime aspirazioni. Stanchi della nostra nazionalità ufficiale (dal *Dizionario dei luoghi comuni*: «FRANCESE. Ah! come si è fieri di essere francesi, quando si guarda la Colonna!»), possiamo dunque ritirarci tranquillamente nelle nostre parti più beduine che normanne, quelle che preferiscono attraversare un khamsin sulle gobbe di un cammello, sedere in un caffè vicino a un asino che caga e ingaggiare quelle che Edward Lane chiamava «conversazioni licenziose».

Quando gli chiesero da dove venisse, Socrate non rispose da Atene, ma dal mondo. Flaubert era di Rouen (per sua giovanile definizione, cittadina che affogava nella *merde* e dove la domenica pomeriggio la brava gente «si rimbambisce di seghe» per la noia), ma Abu-Chanab, il Padre del mustacchio, avrebbe forse potuto rispondere che un po' era anche egiziano.

IV

SULLA CURIOSITÀ

Luogo	Madrid

Guida	Alexander von Humboldt

1

In primavera fui invitato a Madrid per un convegno di tre giorni che terminava di venerdì, nel tardo pomeriggio. Non essendo mai stato in quella città, ma avendo sentito parlare molto delle sue attrazioni (a quanto pareva non certo limitate ai musei), decisi di prolungare un po' il mio soggiorno. Avevo già una camera prenotata in un albergo su un viale ampio e alberato, nella zona sud-est della città. La finestra si affacciava su un cortile dove, di quando in quando, un tizio basso che mi ricordava vagamente Filippo II usciva a fumare una sigaretta, battendo un piede sulla cornice della porta d'acciaio di quella che immaginai essere una cantina. Il venerdì sera mi ritirai di buon'ora nella mia stanza. Per non costringerli a offrirmi controvoglia ulteriore ospitalità, cosa da cui né io né loro avremmo tratto alcun beneficio, avevo evitato di comunicare agli organizzatori del convegno l'intenzione di trattenermi per il fine settimana. Ma quella decisione significò anche rinunciare alla cena, poiché, tornando a piedi in albergo, mi resi conto di essere troppo timido per avventurarmi da solo in uno dei ristoranti del quartiere, locali scuri, con le pareti di legno e prosciutti appesi ai soffitti, dove rischiavo di trasformarmi solo in un oggetto di curiosità e compassione. Consumai perciò un pacchetto di patatine gusto paprika che trovai nel minibar e, dopo aver guardato le notizie su un canale satellitare, mi addormentai.

Quando il giorno dopo mi svegliai ero in preda a un forte senso di letargia, come se avessi le vene intasate di sabbia o di zucchero. Attraverso le tende plastificate rosa e grigie filtrava la luce del sole e dal viale proveniva il rumore del traffico. Sulla scrivania erano sparse alcune riviste offerte dall'albergo con informazioni varie sulla città e le due guide

103

turistiche che mi ero portato da casa. In modi diversi, tutte cospiravano a convincermi che là fuori mi attendesse un fenomeno elettrizzante e multiforme chiamato Madrid, fatto di monumenti, chiese, musei, fontane, piazze e vie commerciali. Ma proprio questi ingredienti, di cui avevo tanto sentito parlare e che ero consapevole di avere ora il privilegio di poter assaporare, non facevano altro che provocarmi un misto di apatia e disgusto di me stesso per via del contrasto fra la mia indolenza e ciò che immaginavo essere l'entusiasmo di più normali visitatori. Desideravo solo restarmene a letto e, se possibile, ripartire in giornata per Londra.

2

Nell'estate del 1799 un ventinovenne tedesco di nome Alexander von Humboldt si imbarcò al porto spagnolo della Coruña per un viaggio di esplorazione del continente sudamericano.

« Sin dall'infanzia avevo provato il forte desiderio di recarmi in terre lontane poco visitate da altri europei » avrebbe ricordato in seguito. « Lo studio delle mappe e la lettura dei libri di viaggio avevano fatto lievitare in me una fascinazione segreta, a tratti irresistibile » – e per la quale il giovane tedesco era singolarmente dotato. Insieme alla grande energia fisica, egli era infatti esperto in biologia, geologia, chimica, fisica e storia. All'università di Göttingen aveva stretto amicizia con Georg Forster, il naturalista che aveva accompagnato il capitano Cook nel suo secondo viaggio, e aveva appreso l'arte della classificazione delle specie vegetali e animali. Conclusi gli studi, Humboldt aveva cominciato a guardarsi intorno in cerca di occasioni per partire verso luoghi remoti e sconosciuti e, dopo l'improvvisa cancellazione di un viaggio per l'Egitto e La Mecca, nella primavera del 1799 aveva avuto la fortuna di conoscere re Carlo IV di Spagna e lo aveva convinto a finanziare la sua esplorazione del Sudamerica.

Sarebbe rimasto lontano dall'Europa cinque anni e al ritorno si sarebbe stabilito a Parigi, dove nell'arco dei successivi vent'anni avrebbe pubblicato il resoconto in trenta volumi dei suoi viaggi, intitolato *Viaggio alle regioni equinoziali del Nuovo Continente*. L'entità dell'opera rispecchia fedelmente la portata delle conquiste di Humboldt, che avrebbero indotto Ralph Waldo Emerson a scrivere: «Humboldt è stato uno dei grandi portenti del mondo, come Aristotele, come Giulio Cesare, come l'*Admirable* Crichton, genii che ogni tanto spuntano a ricordarci le possibilità della mente umana, la forza e la portata delle nostre facoltà – un uomo universale».

All'epoca in cui l'esploratore tedesco partì dalla Coruña, in Europa si sapeva ancora pochissimo del continente sudamericano: Vespucci e Bougainville avevano navigato lungo le sue coste, La Condamine e Bouguer avevano perlustrato i fiumi e le catene montuose dell'Amazzonia e del Perù, ma mancavano cartine precise e scarseggiavano informazioni sulla geologia, la botanica e la vita delle popolazioni indigene. Humboldt contribuì in maniera decisiva ad aumentare le conoscenze in materia. Tra la navigazione delle coste settentrionali e i viaggi interni percorse quindicimila chilometri, e strada facendo raccolse milleseicento piante e identificò seicento nuove specie. Quindi ridisegnò la carta del Sudamerica in base a rilevazioni di cronometri e sestanti esatti, studiò il magnetismo terrestre e fu il primo a scoprire che l'intensità della forza magnetica diminuisce più ci si allontana dai poli. Fu il primo a descrivere gli alberi della gomma e della china. Mappò il corso dei fiumi che collegano i sistemi idrografici dell'Orinoco e del Rio Negro, misurò gli effetti della pressione e dell'altitudine sulla vegetazione, studiò i riti delle popolazioni del bacino dell'Amazzonia e teorizzò l'esistenza di legami tra la geografia e le caratteristiche culturali di un popolo. Confrontò il grado di salinità delle acque del Pacifico e dell'Atlantico e studiò il fenomeno delle correnti marine, riconoscendo che la temperatura del mare dipende più da queste che dalla latitudine.

Eduard Ender, *Alexander von Humboldt e Aimé Bonpland in Venezuela*, 1850 ca.

Uno dei primi biografi di Humboldt, F.A. Schwarzenberg, sottotitolò l'opera dedicata al grande tedesco *Cosa si può riuscire a fare in una vita* e riassunse così i campi della sua straordinaria curiosità: «1. Conoscenza della terra e dei suoi abitanti. 2. Scoperta delle leggi naturali superiori che governano l'universo, gli uomini, gli animali, le piante e i minerali. 3. Scoperta di nuove forme di vita. 4. Scoperta di territori conosciuti in maniera vaga e imprecisa, e dei loro vari prodotti. 5. Conoscenza di nuove specie della razza umana – dei loro usi, della lingua e delle radici storiche della loro cultura».

Cosa si può riuscire a fare in una vita – e raramente o quasi mai si fa.

3

Alla fine fu una cameriera la responsabile del mio viaggio nella città di Madrid. Per ben tre volte fece irruzione nella mia camera armata di secchio e spazzolone e, alla vista di una figura rannicchiata sotto le coperte, esclamò con teatrale sgomento: «Hola, perdone» e se ne andò, avendo cura di far collidere rumorosamente i suoi attrezzi con la porta che andava sbattendosi alle spalle. Non avendo alcuna voglia di fare i conti con quell'apparizione per una quarta volta, a un certo punto mi alzai, mi vestii, scesi al bar dell'albergo dove ordinai una cioccolata calda con frittelle e uscii, diretto in una zona della città che una delle mie guide identificava come «Madrid vecchia»:

Quando nel 1561 Felipe II elesse Madrid a capitale, la città era un borgo castigliano di meno di ventimila anime, destinato però a crescere negli anni successivi fino a trasformarsi nel centro nevralgico di un potente impero. Alle spalle della fortezza moresca, in seguito sostituita da un palazzo in stile gotico e infine dall'attuale palazzo dei Borboni, il Palacio Real, si svilupparono stretti vicoli di case e chiese medievali. Grazie alla dinastia degli Asburgo, la città del XVI secolo è conosciuta con il nome di «Madrid degli austriaci». Risalgono a questo periodo molti palazzi, chiese e monasteri. Del secolo successivo è invece la Plaza Mayor, quando la Puerta del Sol divenne il cuore geografico e spirituale della Spagna.

Mi fermai all'angolo tra quest'ultima e la Calle de Carretas, anonimo crocevia a forma di mezzaluna al centro del quale si ergeva una statua equestre di Carlo III (1759-1788). Era una giornata di sole e, come me, frotte di turisti si fermavano per scattare fotografie e ascoltare le guide. Allora, in preda a un'ansia crescente, mi chiesi: «Cosa sono venuto a fare qui? Cosa credevo di trovare?»

4

Domande che non avevano mai sfiorato Humboldt. Ovunque egli andasse, la sua missione era sempre chiara: condurre esperimenti e scoprire fatti.

Le ricerche cominciarono già a bordo della nave che doveva condurlo in Sudamerica. Dalla Coruña a Cumaná, porto di destinazione sulle coste della Nueva Granada (Venezuela), ogni due ore misurò la temperatura del mare, effettuò regolari rilevazioni dai sestanti e prese nota di tutte le specie marine che vedeva o trovava in una rete che aveva appeso a poppa della nave. Una volta sbarcato in Venezuela si gettò a capofitto nello studio della vegetazione intorno a Cumaná: le colline di roccia calcarea su cui sorgeva la città erano tappezzate di cactus e opuntiae monumentali, i cui tronchi si ramificavano come candelabri coperti di licheni. Un pomeriggio misurò un cactus (*Tuna macho*) e ne annotò la circonferenza: un metro e cinquantaquattro centimetri. In tutto passò tre settimane a misurare esemplari vegetali sparsi lungo la costa, quindi si spinse all'interno, verso le montagne

108

ammantate di giungla della Nueva Andalucía. Portò con sé un mulo su cui caricò un baule con dentro un sestante, un ago a immersione, uno strumento per misurare le variazioni magnetiche, un termometro e l'igrometro di Saussure, che rilevava l'umidità ed era fatto con capelli e osso di balena. Tutti strumenti di cui fece grande uso. Così scriveva nel suo diario: «Al nostro ingresso nella giungla il barometro indicava che stavamo salendo. Qui i tronchi degli alberi ci offrirono una vista straordinaria: una pianta graminacea con rami verticillati si arrampicava come una liana fino a un'altezza di due metri e mezzo o tre, formando ghirlande che attraversavano il sentiero e tremavano nel vento. Verso le tre del pomeriggio ci siamo fermati su una piccola piana chiamata Quetepe, a circa 190 toise sul livello del mare. Alcune capanne sorgevano nei pressi di una fonte rinomata tra gli indiani per la sua bontà e freschezza. Anche noi ci dissetammo, trovandola eccellente. Non superava i 22,5 °C, mentre la temperatura dell'aria era di 28,7 °C».

5

Ma a Madrid tutto era già noto, tutto era già stato rilevato e misurato. Il lato nord della Plaza Mayor era lungo 101 metri e 52 centimetri. La piazza era opera di Juan Gómez de Mora e risaliva al 1619. La temperatura si aggirava intorno ai 18,5 °C, il vento spirava da ovest. La statua equestre di Filippo III, al centro della medesima plaza, era alta 5 metri e 43 centimetri ed era stata realizzata dai maestri Giambologna e Pietro Tacca. Ogni tanto la mia guida sembrava impaziente nello sciorinare dati e fatti. Comunque sia mi condusse fino alla Pontificia de San Miguel, un edificio grigio studiato apposta per respingere gli sguardi occasionali dei passanti, e lì dichiarò:

La basilica del Bonavia è uno dei rari esempi di chiesa spagnola ispirata al barocco italiano del diciottesimo secolo. La facciata convessa, progettata come un gioco di interazioni tra curve interne e curve esterne, è decorata da belle statue. Al di sopra dell'ingresso si può ammirare un bassorilievo dei santi Justus e Pastor, a cui la basilica era dedicata. All'interno l'edificio si presenta come una struttura elegante e aggraziata, con una cupola ovale, volte intersecanti a costa, morbidi cornicioni e numerose decorazioni a stucco.

Se il mio livello di curiosità era così distante da quello di Humboldt (e il desiderio di tornarmene a letto tanto imperioso), in parte era per via dei molti vantaggi che toccano al viaggiatore in missione scientifica e non a quello in missione turistica.

I fatti concreti sono utili. Conoscere le dimensioni del lato nord della Plaza Mayor è cosa utile per tutti gli architetti e gli studenti dell'opera di Juan Gómez de Mora. Rilevare la pressione barometrica di un giorno d'aprile nel centro di Madrid è cosa utile per i meteorologi. La scoperta di Humboldt di un *Tuna macho* di un metro e cinquantaquattro centimetri di circonferenza era cosa utile e interessante per tutti i biologi d'Europa, che mai avrebbero immaginato l'esistenza di esemplari di cactus così grandi.

E l'utilità ha un pubblico (e la sua approvazione). Quando nell'agosto 1804 fece ritorno in Europa armato di dati e fatti concreti sul Sudamerica, Humboldt venne accolto e salutato da più parti con grande interesse e, sei settimane dopo l'arrivo a Parigi, davanti a un'immensa platea raccolta all'Institut National, lesse il primo resoconto del suo viaggio. Informò il pubblico della temperatura lungo la costa sudamericana atlantica e del Pacifico e delle quindici specie diverse di scimmie incontrate nella giungla. Aprì venti casse di reperti minerali e fossili e la folla gli si strinse intorno per guardare. Il Bureau degli studi sulla longitudine chiese di poter avere una copia delle sue rilevazioni astronomiche, l'Osservatorio una delle sue misurazioni barometriche. Fu invitato a cena da Chateaubriand e Madame de Staël ed entrò a far parte dell'élite scientifica della Société d'Arcueil, tra i cui membri figuravano Laplace, Berthollet e Gay-Lussac. In Gran Bretagna i suoi scritti ebbero lettori come Charles Lyell e Joseph Hooker, e lo stesso Charles Darwin ne imparò a memoria diversi brani.

Mentre camminava intorno a un cactus o infilava il suo termometro in terra d'Amazzonia, la curiosità stessa di Humboldt doveva essere guidata dalla percezione dell'interesse altrui – ed esserne conseguentemente stimolata negli inevitabili momenti in cui si sentiva minacciato dalla cattiva salute o dall'apatia. Certo ebbe anche la fortuna di vivere in un periodo in cui quasi tutti i dati disponibili sul Sudamerica erano sbagliati, o perlomeno discutibili. Quando nel novembre del 1800 approdò all'Avana, scoprì che persino quella base strategica tanto importante per la Spagna aveva un'errata collocazione sulla carta. Estrasse dunque i suoi strumenti e si impegnò a determinarne la corretta latitudine geografica, gesto destinato a fruttargli un invito a cena da parte di un riconoscente ammiraglio spagnolo.

6

Seduto a un caffè di Plaza Provincia presi così atto dell'impossibilità di realizzare nuove scoperte concrete, mentre la mia guida ribadiva il punto con l'ennesima lezioncina:

La facciata neoclassica della Iglesia de San Francisco El Grande è del Sabatini, ma l'edificio in sé, una costruzione a pianta circolare dotata di sei cappelle a raggiera e di un'imponente cupola di 33 metri di diametro, è opera di Francisco Cabezas.

Qualunque mia nuova acquisizione avrebbe dovuto essere giustificata da un ritorno personale, piuttosto che dall'interesse altrui. Le mie scoperte avrebbero dovuto vivificarmi, dimostrarsi in qualche modo capaci di *migliorare la mia vita*.

Un concetto peraltro già espresso da Nietzsche. Nell'autunno del 1873, il filosofo tedesco compose un saggio in cui distingueva la raccolta di dati a fini esplorativi o di studio dall'utilizzo di fatti già noti per obiettivi di arricchimento interiore e psicologico. Cosa strana per un professore universitario, egli denigrava il primo tipo di attività per elogiare invece il secondo. Il saggio si intitolava *Sull'utilità e il danno della storia per la vita* e si apriva con la straordinaria affermazione che raccogliere fatti in maniera pseudoscientifica significava perseguire un obiettivo sterile. La vera sfida era semmai usare i fatti per migliorare «la vita». A questo proposito Nietzsche citava una frase di Goethe: «Del resto mi è odioso tutto ciò che mi istruisce soltanto, senza accrescere o vivificare immediatamente la mia attività».

Ma in cosa consisteva la ricerca di una conoscenza utile alla «vita» in relazione a un viaggio? Nietzsche offriva qualche suggerimento in merito. Faceva l'esempio di un individuo depresso per lo stato della cultura tedesca che decideva di recarsi in una città italiana, Siena o Firenze, per migliorare il proprio umore; e lì scopriva che il fenomeno ampiamente conosciuto come «il Rinascimento italiano» era opera solo di un pugno di italiani che, con un po' di fortuna, perseveranza e sostegno da parte dei mecenati giusti, erano riusciti a cambiare il sentire e i valori di un'intera società. Il turista in questione avrebbe così imparato a cercare nelle culture straniere «ciò che una volta poté estendere oltre e adempiere in modo più bello l'idea 'uomo'». «E tuttavia sempre di nuovo si destano alcuni che, guardando alla grandezza passata e rafforzati dalla contemplazione di essa, si sentono pieni di felicità, come se la vita umana fosse una cosa magnifica.»

Nietzsche suggeriva poi un altro tipo di turismo, dove è possibile apprendere in che modo il passato ha forgiato le nostre società e identità e l'uomo «guarda oltre la caduca e peregrina vita individuale, e sente se stesso come lo spirito della casa, della stirpe e della città». Turisti siffatti possono allora guardare antichi edifici e provare «la felicità di non sapersi totalmente arbitrari e fortuiti, ma di crescere da un passato come eredi, fiori e frutti, e di venire in tal modo scusati, anzi giustificati nella propria esistenza».

Per proseguire in questa linea di pensiero, ammirare un antico edificio potrebbe alla fin fine significare niente di più, e niente di meno, che «gli stili architettonici sono più flessibili di quanto sembra, così come gli usi cui gli edifici sono destinati». Potremmo insomma ritrovarci a guardare il Palacio de Santa Cruz («costruito tra il 1629 e il 1643, questo palazzo rappresenta uno dei gioielli dell'architettura asburgica») e pensare: «Se era possibile allora, perché non adesso?» E, al posto delle milleseicento nuove specie vegetali, potremmo rientrare dal nostro viaggio con una collezione di piccoli, poco celebrati ma vivificanti pensieri.

7

Esisteva poi un altro problema: gli esploratori venuti prima e autori di scoperte concrete avevano operato dei distinguo tra fatti considerati significativi e fatti di nessuna importanza – distinguo che, nel tempo, si erano per esempio consolidati in verità immutabili circa i luoghi di valore in una città come Madrid. La Plaza de la Villa meritava dunque una stella, il Palacio Real due, il Monasterio de las Descalzas Reales tre e la Plaza de Oriente neanche una.

Non che simili distinzioni fossero necessariamente false: semplicemente, i loro effetti erano stati perniciosi. Laddove osannavano un certo monumento, le guide turistiche esercitavano anche pressione affinché il turista condividesse il loro autorevole entusiasmo; laddove tacevano, il piacere e l'interesse del visitatore sembravano ingiustificati. Ben prima di mettere piede nel Monasterio a tre stelle de las Descalzas Reales, ero dunque preparato al tipo di entusiasmo ufficiale a cui la mia reazione avrebbe dovuto accordarsi: «Il più bel convento di tutta la Spagna. Una scalinata grandiosa decorata da affreschi conduce al porticato superiore del chiostro,

113

dove le cappelle gareggiano in lusso ed eleganza». A quel punto, gli autori della guida avrebbero potuto anche aggiungere: «e dove il turista in disaccordo con noi deve avere qualche problema».

Humboldt non aveva subìto alcuna intimidazione del genere. Pochi europei avevano attraversato le regioni in cui lui si trovò a viaggiare e ciò gli garantì enorme libertà immaginativa. Poteva decidere senza troppi ragionamenti cosa gli interessava e cosa no, e creare le sue personali categorie di valori senza dover seguire o doversi necessariamente ribellare a gerarchie imposte da altri. Quando giunse alla missione di San Fernando, sul Rio Negro, fu libero di stabilire se di quel luogo gli piaceva tutto o niente: l'ago della sua curiosità, dotato di un proprio nord, si orientò sulle piante, e non per questo i lettori del suo *Viaggio* gridarono allo scandalo. «A San Fernando siamo rimasti sbalorditi alla vista degli alberi di *pihiguado*, o *pirijao*, che conferiscono al paesaggio un carattere assai peculiare. Il loro tronco coperto di spine arriva anche a venti metri di altezza» riferiva a proposito di ciò che più lo aveva colpito dei luoghi. Dopodiché aveva misurato la temperatura (elevatissima) e aveva commentato che i missionari vivevano in graziose abitazioni coperte di liane e circondate da giardini.

Provai a immaginarmi una guida di Madrid più disinibita, a pensare a come io avrei potuto catalogare le sue bellezze in base a una gerarchia di interessi soggettiva. Avrei senz'altro attribuito da una a tre stelle alla sottovalutazione delle verdure nella dieta spagnola (nel corso dell'ultimo pasto decente, tra gli innumerevoli piatti a base di carne avevano fatto capolino solo alcuni asparagi mosci, pallidi e probabilmente conservati in scatola) e agli interminabili e altisonanti cognomi dei normali cittadini (l'assistente incaricata di organizzare il convegno ne vantava una sfilza, tutti legati da *de* e *la*, fatto che lasciava intuire l'esistenza di un castello di famiglia, di fedeli servitori, di un antico pozzo e di uno stemma, e che contrastava nettamente con la realtà della sua vita: una polverosa Seat Ibiza e un monolocale vicino all'aeroporto).

Esmeralda, sull'Orinoco, stampa di Paul Gauci, da una litografia di
Charles Bentley

Altre cose che mi colpivano erano la piccolezza dei piedi degli uomini e l'atteggiamento nei confronti dell'architettura moderna evidente in molti dei quartieri più nuovi della città: il modo in cui l'estetica di un edificio sembrava contare decisamente meno della modernità del suo aspetto, anche se ciò si traduceva in un'obbrobriosa facciata di bronzo (come se la modernità fosse un bene a lungo desiderato di cui era necessario abbuffarsi per compensare precedenti periodi di carestia). Se la bussola della mia curiosità fosse stata libera di orientarsi secondo la propria logica – anziché essere tirata di qua e di là dal poderoso campo magnetico di un oggettino verde chiamato *Guida Michelin alla città di Madrid*, pronto a puntare il proprio ago verso cose come una scalinata vistosamente marrone negli echeggianti corridoi del Monasterio de las Descalzas Reales – i riferimenti sopra indicati avrebbero fatto ingresso a pieno titolo nella mia lista soggettiva di oggetti d'interesse madrileni.

8

Nel giugno 1802, Humboldt scalò quella che al tempo era ritenuta la montagna più alta del mondo: il picco vulcanico del monte Chimborazo, in Perù, 6267 metri sul livello del mare. «Continuavamo a salire tra le nuvole» scrisse. «In molti punti il crinale non superava i venti centimetri di larghezza. Alla nostra sinistra scendeva un precipizio innevato la cui superficie ghiacciata riluceva come vetro. Alla nostra destra si spalancava un abisso tremendo, profondo duecentocinquanta o trecento metri, disseminato di enormi protuberanze rocciose.» Nonostante il pericolo, Humboldt trovò comunque il tempo di notare elementi su cui la maggioranza dei mortali avrebbe sorvolato: «Al di sopra del limite delle nevi, cioè a 5157 metri di altitudine, ho osservato alcuni licheni, mentre gli ultimi muschi verdi si trovavano circa 800 metri più in basso. M. Bonpland [suo compagno di

116

Friedrich Georg Weitsch, *Alexander von Humboldt e*
Aimé Bonpland ai piedi del Chimborazo, 1810

viaggio] ha catturato una farfalla a 4570 metri, e 487 metri più su abbiamo incontrato una mosca...»

Come può una persona interessarsi all'altitudine esatta a cui incontra una mosca? Come diavolo farà a dedicare la propria attenzione a un lembo di muschio cresciuto su un crinale vulcanico largo venti centimetri? In realtà non si trattava affatto di una curiosità spontanea, e l'interesse di Humboldt aveva una lunga storia. La mosca e il muschio lo attiravano perché collegati a questioni prioritarie, importantissime e – per l'uomo di scienza – assai più comprensibili.

Si potrebbe descrivere la curiosità come una catena di piccole domande che da un nucleo centrale di pochi ed essenziali interrogativi si protende verso l'esterno, coprendo a volte lunghissime distanze. Nell'infanzia ci chiediamo: «Perché esistono il bene e il male?» «Come funziona la natura?» «Perché io sono io?» Circostanze e indole permettendo, nel corso dell'età adulta continuiamo a lavorare sulle medesime domande mentre la nostra curiosità si allarga ad accogliere porzioni sempre crescenti di mondo, finché, a un certo punto, raggiungiamo quello stadio ineffabile in cui nulla più ci annoia. Allora gli interrogativi essenziali ci appaiono intimamente connessi alle domande più circoscritte e apparentemente esoteriche, e ci ritroviamo a contemplare una mosca mentre siamo avvinghiati al fianco di una montagna, a riflettere estasiati su un particolare affresco di una parete di un palazzo del sedicesimo secolo, a interessarci alla politica estera di un monarca iberico morto da lunga pezza o a meditare sul ruolo della torba nella guerra dei Trent'anni.

La catena di domande che aveva spinto il nostro esploratore a provare curiosità per una mosca mentre si trovava sul pericoloso crinale del monte Chimborazo nel giugno del 1802 era iniziata quando, a sette anni, dalla natia Berlino Humboldt si era recato in visita presso alcuni parenti in un'altra zona della Germania e si era domandato: «Perché le stesse cose non crescono dappertutto?» Perché dalle parti di Berlino c'erano alberi assenti in Baviera e viceversa? La

118

sua curiosità aveva quindi incontrato il sostegno e l'approvazione altrui e presto gli erano stati messi a disposizione una biblioteca di testi sulla natura, un microscopio e alcuni precettori esperti di botanica. In famiglia lo avevano soprannominato «il piccolo chimico» e la madre aveva appeso i disegni del figlio alle pareti del suo studio. All'epoca della partenza per il Sudamerica, Humboldt stava già tentando di formulare alcune leggi sull'influenza determinante del clima e della geografia sulla flora e la fauna. Il suo entusiasmo conoscitivo di settenne era ancora vivo dentro di lui, ma si articolava ora attraverso domande più elaborate e sofisticate, tipo: «L'esposizione a nord influisce sulle felci?» oppure: «Fino a quale altitudine sopravvivono le palme?»

Raggiunto il campo base ai piedi del Chimborazo, Humboldt si lavò i piedi e si concesse una breve siesta, quindi si mise subito a scrivere il suo *Essai sur la géographie des plantes*, dove definiva la distribuzione della vegetazione alle diverse altitudini e temperature. Dichiarò che esistevano sei fasce di altitudine: dal livello del mare fino a circa 900 metri crescevano bene palme e banani; fino a 1500 metri prosperavano le felci, mentre le querce resistevano anche fino a 2800; dopodiché venivano gli arbusti sempreverdi (*Wintera, Escalloniceae*) e due zone alpine – tra i 3100 e i 3850 metri crescevano ancora piante erbacee, mentre dai 3850 ai 4350 si potevano osservare solo vari tipi di erbe e licheni alpini. Oltre i 5000, registrava infine il nostro con evidente trasporto, era improbabile imbattersi ancora in una mosca.

9

L'entusiasmo di Humboldt conferma quanto sia importante avere la domanda giusta da rivolgere al mondo. Essa può fare la differenza tra un banale stato di irritazione nei confronti delle mosche e la gioiosa discesa da una montagna per mettersi a scrivere un *Essai sur la géographie des plantes*.

DIFFÉRENCE à l'appui de la Montagne correspondante sur mer, en Toises observation de la séparation	HAUTEURS MESURÉES en Différentes parties DU GLOBE.	PHÉNOMÈNES NAUTIQUES relatif à la hauteur des Couches	CULTURE DU SOL Ceci, avec la culture au dessus du Niveau de la Mer	DÉCROISSEMENT de la Ceci avec l'élévation exprimé par les Produits avec état des Produits dans le Vide	ASPECT du Ciel avec ses expressions analogues du Cyanomètre	DÉCROISSEMENT de l'Humidité de l'Air exprimé en Degrés de l'Hygromètre de Saussure	PRESSION de l'Air Atmosphérique exprimé en haut Baromètrique	ÉCHELLE en TOISES
	Élévation des gros nuages (cumulus)							4000
								3800
	Cime du Chimborazo 3540 t.	*Beaucoup de Phénomènes lumineux...*						
	Cime de Capambe...		*Pas de plusieurs...*			*Marque d'électricité. La sécheresse...*		3000
	Cime d'Antisana...							
	Cime de Mont El Elia...							
	Cime de Popocatepetl...							
	Vétars à Tanguragua...		*L'Herbe et les arbustes...*					2600
	Mont Blanc...							
	Cordovilleru...		*Plus de Culture...*					
	Minéral Indien Antholeau...							2000
	Ville de Mexique...		*Pomme de terre...*					
	Première Ville du Mexique...							1600
	Crête de St. Jeanne l'Olive...		*Le grès, haute...*					1000
	Banque du Mont Cenis...							
	Ville de Papayan...		*Café, Coton, Canne à sucre...*					
	Pic de Quito...							600
			Sucre, Indigo, Cacao...					
	Vaulielle, vers les hautes Montagnes de la Salde...		*Figuier, Arbres Marins...*					
								0
								200

Côte de Gambarrau

Point du Chimborazo auquel M.M. Bonpland Montufar et Humboldt sont parvenus le 23 Juin 1804, Bar 15p.7l. 7c 2/3 Therm 10d

Bout de Repentagnot

Point le plus haut (de l'Océan) auquel M.M. Bouguer et la Condamine sont parvenus en 1738

Bout du Pic de Teyde

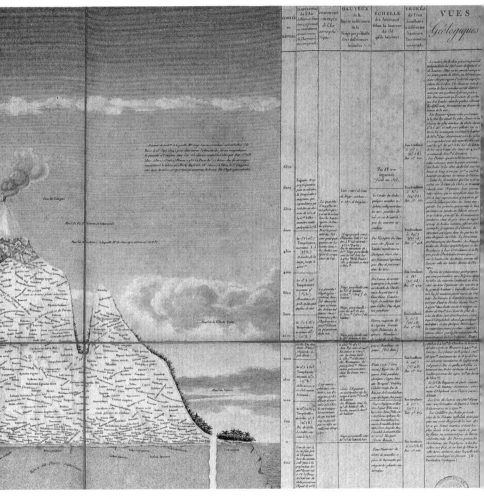

Géographie des Plantes Equinoxiales, da *Tableau physique
des Andes et Pays voisins*, 1799-1803, di Alexander von Humboldt
e Aimé Bonpland

Purtroppo per il viaggiatore, la maggioranza degli oggetti non si presenta accompagnata dalla domanda in grado di generare l'entusiasmo che ciascuno di essi merita; al contrario, solitamente non c'è proprio niente ad accompagnarli, o, se c'è, tende a essere la cosa sbagliata. L'Iglesia de San Francisco El Grande, in fondo alla lunghissima e trafficatissima Carrera de San Francisco, non era certo priva di stimoli, per esempio, ma ciò non valse a incuriosirmi.

Le pareti e i soffitti della chiesa sono decorati da affreschi e dipinti del diciannovesimo secolo, tranne quelli nella cappella dei santi Antonio e Bernardino, del secolo precedente. Al centro della Capilla de San Bernardino, la prima lungo la parete nord, ammiriamo un *San Bernardino di Siena che prega davanti al re d'Aragona* (1781), opera giovanile del Goya. Gli stalli della sacrestia e della sala capitolare vengono dalla Cartuja de El Paular, il monastero certosino nei pressi di Segovia.

Simili informazioni non servivano affatto a stuzzicare la mia curiosità e mi dicevano tanto quanto la mosca sulla montagna di Humboldt. Per provare un senso di coinvolgimento intimo (anziché di soggezione forzata) verso « le pareti e i soffitti della chiesa... decorati da affreschi e dipinti del diciannovesimo secolo » il viaggiatore avrebbe avuto bisogno di stabilire un legame diretto tra i fatti esterni – noiosi quanto una mosca – e uno degli interrogativi più ampi ed essenziali a cui sempre si ancora la vera curiosità.

Nel caso di Humboldt l'interrogativo era stato: « Perché in natura esistono variazioni regionali? » Per il turista davanti all'Iglesia de San Francisco, potrebbe essere: « Perché l'uomo ha sentito il bisogno di costruire chiese? » O addirittura: « Perché adoriamo Dio? » Da un punto di partenza tanto ingenuo può svilupparsi una catena di curiosità che, in successiva battuta, comprenderà domande quali: « Perché in luoghi diversi sono diverse anche le chiese? », « Quali sono stati sinora gli stili principali adottati nella loro costruzio-

Iglesia de San Francisco El Grande

ne?» e «Chi furono i più grandi architetti di chiese e perché ebbero successo?» Il viaggiatore in grado di accogliere con qualcosa di diverso dal senso di noia e disperazione informazioni tipo che l'imponente facciata neoclassica della chiesa è opera del Sabatini, infatti, è solo quello che ha potuto assecondare l'evoluzione della propria curiosità in tutta la sua lentezza.

Viaggiando corriamo il rischio di vedere le cose giuste al momento sbagliato, prima cioè di aver avuto modo di elaborare la necessaria ricettività nei loro confronti e quando ogni informazione risulta ancora inutile e sconnessa come la perla di una collana senza filo.

Il rischio è aumentato dai fattori geografici, dal modo in cui, per esempio, le città accostano nello spazio edifici o monumenti lontanissimi in termini di valenza e significato. Visitando un luogo che forse non rivedremo mai ci sentiamo in dovere di ammirare una quantità di cose assolutamente indipendenti tra loro se non per la comune ubicazione, e la cui reale comprensione richiederebbe qualità difficilmente riscontrabili in un unico individuo: in una via ci viene chiesto di provare curiosità per l'architettura gotica, in quella immediatamente successiva per l'archeologia etrusca.

A Madrid il turista dovrebbe dunque palpitare per il Palacio Real, residenza settecentesca nota per le sue sale decorate con ricche cineserie rococò dal progettista napoletano Gasparini, e un attimo dopo per il Centro de Arte Reina Sofia, galleria dalle lineari pareti bianche dedicata all'arte del Novecento il cui fiore all'occhiello è *Guernica* di Picasso. Mossa assai più naturale per colui che stesse assaporando il fascino dell'architettura reale settecentesca sarebbe invece saltare a piè pari la galleria e partire alla volta di Praga e San Pietroburgo.

Il viaggio distorce insomma la nostra curiosità in base a una logica geografica così superficiale da essere paragonabile a quella di un corso universitario in cui i testi venissero scelti in base alle dimensioni anziché all'argomento.

10

Verso la fine della sua vita, le esplorazioni in Sudamerica essendo ormai un ricordo lontano, Humboldt si lamentava in preda a un misto di autocompatimento e di orgoglio: «Sovente dicono che nutro curiosità per troppe cose contemporaneamente: botanica, astronomia, anatomia comparata. Ma si può forse impedire a un uomo di provare il desiderio di conoscere e di abbracciare tutto quanto lo circonda?» Certo che no – forse una pacca sulla spalla sarebbe cosa più appropriata. Ma il fatto che oggi ammiriamo le sue imprese non ci impedisce di provare una certa simpatia per chi, trovandosi in qualche affascinante città, sia occasionalmente caduto in preda a un'irresistibile voglia di starsene a letto e di salire sul primo aereo diretto a casa.

PAESAGGIO

V

SULLA CITTÀ E LA CAMPAGNA

Luogo | *Il Lake District*

Guida | *William Wordsworth*

1

Partimmo da Londra con un treno del pomeriggio. M. e io avevamo stabilito di incontrarci sotto il tabellone delle partenze alla stazione di Euston, ma ora, guardando la folla rigurgitata nell'atrio dalle scale mobili, pensavo che solo un miracolo mi avrebbe permesso di individuarla in mezzo a tanta gente – e ciò a dimostrazione della particolare specificità del mio desiderio di trovare proprio lei. Risalimmo la spina dorsale dell'Inghilterra. Al calar della sera iniziammo a scorgere i primi consistenti accenni di campagna, ma a poco a poco nei lunghi specchi neri dei finestrini rimasero visibili solo i riflessi dei nostri volti. Da qualche parte sopra Stoke-on-Trent decisi di fare una puntata al vagone ristorante e, mentre come un ubriaco attraversavo una fila di carrozze traballanti, tornai a percepire la particolare eccitazione provocatami dalla prospettiva di consumare un piatto preparato a bordo di un treno in movimento. Nel momento in cui transitavamo davanti alla sbarra di un passaggio a livello, oltre la quale intuii le ombre di una mandria di vacche, il timer del microonde emise un forte schiocco metallico, come il detonatore di una bomba in un vecchio film di guerra, quindi un grazioso trillo che segnalava l'avvenuto riscaldamento del mio hot dog.

Poco prima delle nove arrivammo alla stazione di Oxenholme, indicata anche come « The Lake District », e insieme a pochi altri scendemmo e percorremmo il marciapiede lungo il binario, i fiati visibili nel freddo della sera. Sul treno molti leggevano o sonnecchiavano. Per loro il Lake District non era che una fermata qualsiasi, un punto in cui staccare un attimo gli occhi dal libro e guardare i vasi di cemento piazzati simmetricamente sul marciapiede, sbirciare l'orolo-

gio della stazione e concedersi magari un bello sbadiglio –
prima che il treno per Glasgow riprendesse la sua corsa
nell'oscurità e l'attenzione tornasse a concentrarsi su un nuovo paragrafo.

La stazione era deserta, ma visti i numerosi cartelli in
giapponese non doveva essere sempre così. Da Londra avevamo telefonato per noleggiare una macchina, che ci atten-
deva infatti sotto un lampione in fondo a un'area di par-
cheggio. L'agenzia di noleggio aveva esaurito le utilitarie,
ragion per cui al posto del modello richiesto ci aveva conse-
gnato una grossa berlina familiare che puzzava ancora di
nuovo e sfoggiava immacolati tappetini grigi pettinati dalla
bocchetta di un aspirapolvere.

2

I motivi più immediati del viaggio erano personali, e tuttavia
riconducibili a un ampio movimento storico iniziato nella
seconda metà del diciottesimo secolo, quando per la prima
volta consistenti masse di abitanti delle aree urbane avevano
cominciato a recarsi in campagna per migliorare la salute del
corpo e, soprattutto, ripristinare l'armonia interiore. Nel
1700 il diciassette per cento della popolazione inglese e gallese viveva in città; nel 1850 era salita al cinquanta per cento;
nel 1900, al settantacinque per cento.

Ci dirigemmo a nord, verso Troutbeck, un paese qualche
chilometro sopra il lago Windermere. Avevamo prenotato
una camera in una locanda chiamata The Mortal Man, dove
due angusti lettini erano stati accostati a formare un matri-
moniale. Il proprietario ci mostrò il bagno, ci avvertì che le
telefonate dalla camera costavano molto (più di quanto i
nostri abiti e i nostri modi esitanti alla reception lo auto-
rizzavano forse a supporre che fossimo in grado di pagare) e,
congedandosi, ci promise tre giorni di tempo magnifico e ci
diede il benvenuto nel Lake District.

132

Accendemmo la tivù in cerca di un notiziario londinese, ma di lì a poco spegnemmo e andammo ad aprire la finestra. Poco distante una civetta chiurlava e noi commentammo la sua strana esistenza, là fuori, nella notte altrimenti silenziosa. In parte mi trovavo lì a causa di un poeta e quella sera, nella stanza, lessi una nuova sezione del *Preludio* di Wordsworth. Sulla copertina del tascabile campeggiava il ritratto firmato Benjamin Haydon di un William Wordsworth ormai anziano e dallo sguardo severo. M. gli diede del vecchio rospo e andò a farsi il bagno, ma più tardi, mettendosi la crema davanti alla finestra, recitò alcuni versi di una poesia di cui non ricordava il titolo ma che dichiarò averla commossa forse più di qualunque altra lettura al mondo:

Che importa se il fulgore, un tempo così radioso,
È ora per sempre sottratto al mio sguardo?
  Benché nulla possa ridarmi l'ora
Di splendore nell'erba e di gloria nel fiore,
Noi non piangeremo, bensì trarremo
Forza da ciò che rimane.
    Ode: Intuizioni d'immortalità, X

Volevo continuare a leggere anche a letto, ma concentrarmi diventò quasi impossibile quando scoprii un lungo capello biondo, né mio né di M., impigliato nella testiera, testimonianza dei molti ospiti transitati al Mortal Man prima di noi, e tra di essi una che forse si trovava ormai in un altro continente senza sapere di essersi lasciata dietro un pezzo di sé. Sprofondammo in un sonno discontinuo al canto della civetta là fuori.

3

William Wordsworth nacque nel 1770 nella cittadina di Cockermouth, ai confini settentrionali del Lake District.

Per dirla con parole sue, trascorse «metà della fanciullezza scorrazzando tra i Monti» e, a parte i periodi a Londra e a Cambridge e i viaggi in Europa, visse sempre in quella regione: prima in una modesta costruzione di pietra a due piani, il Dove cottage di Grasmere, quindi, con il crescere della sua fama, in una casa più grande nella vicina Rydal. Quasi ogni giorno faceva una lunga passeggiata in montagna o in riva ai laghi. La pioggia, che, come egli stesso riconosceva, tendeva a cadere sul Lake District «con un vigore e una perseveranza tali da ricordare al visitatore deluso i diluvi che ogni anno si rovesciano tra i monti d'Abissinia alimentando il corso del Nilo», non lo infastidiva affatto. Thomas de Quincey, suo conoscente e amico, calcolò che nell'arco della vita doveva aver percorso tra i duecentottanta e i duecentonovantamila chilometri a piedi – fatto tanto più rimarchevole, commentava, vista e considerata la sua costituzione. «Poiché, in generale, Wordsworth non era uomo ben fatto. Le sue gambe erano aspramente criticate da tutte le intenditrici di arti inferiori che abbia mai udito dissertare sul tema.» Purtroppo, continuava De Quincey, «l'effetto complessivo della sua persona era sempre aggravato dal movimento, giacché, per riportare un detto di campagna, egli camminava 'a sghembarello', e per sghembarello si intenda un insetto non meglio precisato che avanzi di sghimbescio».

Ma dalle sue passeggiate sghembarelle Wordsworth trasse ispirazione per molte poesie, fra le quali *A una farfalla, Al cuculo, A un'allodola, Alla margherita* e *Alla Piccola Celidonia* – tutte dedicate a fenomeni naturali cui in precedenza i poeti avevano prestato solo un'attenzione casuale o rituale, ma che Wordsworth dichiarò essere la materia più nobile della sua arte. Stando al diario della sorella Dorothy – meticolosa cronaca degli spostamenti del fratello nella regione del Lake District – il 16 marzo 1802 William attraversò un ponticello nei pressi di Brothers Water, tranquillo laghetto dalle parti di Patterdale, quindi sedette e scrisse i seguenti versi:

Canta il gallo
Scorre il rivo,
Cinguettano gli uccelli
Luccica il lago...
C'è gioia nei monti;
Vita nelle sorgenti;
Piccole nubi viaggiano,
L'azzurro dei cieli vince.

Qualche settimana più tardi il poeta sedette di nuovo a scrivere, rapito dalla bellezza di un nido di passero:

Guarda, le cinque uova azzurroluminose –
Pochi spettacoli ho visto più belli,
O speranze di felicità
Più grate di quella semplice visione.

Un bisogno di dar voce alla gioia che provò anche alcune estati dopo, nell'udire il canto di un usignolo:

Oh, Usignolo! creatura
Dal cuore fiammeggiante –
Tu canti come se il dio del vino
D'Amore t'avesse servito.

Queste non erano espressioni di piacere buttate lì a caso. Dietro vi si celava una filosofia della natura perfettamente compiuta che, infusa in tutta l'opera di Wordsworth, articolò in maniera originale e incisiva – almeno per la storia dell'Occidente – le condizioni necessarie alla felicità e quelle all'origine dell'infelicità degli uomini. Per il poeta la Natura, che insieme ad altri elementi egli riteneva comprendere uccelli, ruscelli, pecore e narcisi, rappresentava un correttivo indispensabile al danno psicologico inflitto dalla vita nelle città.

Un messaggio che incontrò feroci resistenze iniziali. Nel 1807, in una recensione dei *Poems in Two Volumes*, Lord

Byron si dichiarava esterrefatto da come un uomo adulto potesse pensare di parlare a nome di fiori e animali. «Che dirà il lettore non poppante di codeste leziosaggini... imitazioni dei ritornelli che placavano i nostri pianti nella culla?» E l'«Edinburgh Review» rincarava la dose, definendo la poesia di Wordsworth «una collezione di assurdità puerili» e domandandosi se non si trattasse in realtà del tentativo deliberato da parte dell'autore di mettersi in ridicolo. «È possibile che la vista di una vanga da giardino o di un nido di passero abbia realmente stimolato in Wordsworth un'intensa concatenazione di impressioni... ma è certo che per la maggior parte degli intelletti simili associazioni appariranno sempre forzate, innaturali e volute. Il mondo intero ride di *Stanze elegiache a un maialino da latte, Inno al giorno di bucato, Sonetti alla nonna* e *Odi pindariche al dolce d'uva spina*, e ciononostante non pare facile convincere il Signor Wordsworth di ciò.»

Sulle pagine dei giornali iniziarono così a circolare parodie delle opere del poeta.

Scorgendo una nuvola
Penso ad alta voce
Quant'è bello vedere
Il cielo da quaggiù

recitava una.

Ho visto forse un pettirosso?
O era un piccione? O un saltafosso?

ironizzava un'altra.

Ma a Wordsworth non importava. «Non ti crucciare per l'attuale accoglienza riservata alle mie poesie» scriveva anzi a Lady Beaumont. «Non è che un momento, a paragone di ciò che confido essere il loro destino di consolare gli afflitti, di aggiungere sole alla luce del giorno accrescendo la felicità di chi già è felice, di insegnare ai giovani e agli animi gentili d'ogni età a vedere, a pensare e a sentire, e dunque a essere più attivamente e sinceramente virtuosi; questo è il loro compito, che confido sapranno adempiere ben dopo che noi (vale a dire, tutto ciò che in noi è mortale) ci saremo decomposti nella tomba.» Una previsione sbagliata solo nei tempi. «Sino al 1820» spiegava De Quincey, «il nome di Wordsworth è stato calpestato nella polvere; dal 1820 al 1830 non ha fatto che combattere; dal 1830 al 1835 ha trionfato.» Il gusto subì una trasformazione lenta ma radicale e a poco a poco il pubblico smise di sbeffeggiare e imparò ad apprezzare, persino a recitare a memoria, gli inni alle farfalle e i sonetti alla celidonia. La poesia di Wordsworth cominciò ad attirare visitatori verso i luoghi che l'avevano ispirata, e a Windermere, Rydal e Grasmere si inaugurarono nuovi alberghi. Nel 1845 calcolarono che nel Lake District c'erano ormai più turisti che pecore. Turisti ansiosi di catturare anche solo uno scorcio della sghembarella creatura nel suo giardino di Rydal, e di scoprire i siti lacustri e collinari di cui nei suoi versi aveva descritto tutta la forza. Alla morte di Southey, nel 1843, Wordsworth venne insignito del titolo di Poeta Laureato, mentre un gruppo di fan di Londra inseguiva il progetto di ribattezzare il Lake District «Wordsworthshire».

Quando nel 1850 morì, ottantenne (ricordiamo che all'epoca metà della popolazione inglese e gallese era urbana), la critica più seria sembrava quasi universalmente condividere l'idea di Wordsworth che la frequentazione regolare della natura costituiva un antidoto efficace ai mali della città.

4

Parte del suo biasimo era rivolto contro l'inquinamento, la congestione, la miseria e la bruttezza delle città, ma provvedimenti antitraffico e sgombro degli slum non sarebbero valsi a revocare la bocciatura di Wordsworth. A preoccuparlo non era tanto la salute degli abitanti, quanto l'effetto della vita urbana sulla loro anima.

Il poeta accusava le città di favorire l'insorgere di emozioni fatali: angoscia per la posizione nella gerarchia sociale, invidia dell'altrui successo, orgoglio e desiderio di far colpo su sconosciuti e forestieri. Egli sosteneva che gli abitanti delle città mancassero di prospettiva, che fossero schiavi delle chiacchiere di strada e degli argomenti di conversazione ai pranzi e alle cene. Per quanto agiati, essi provavano il desiderio costante di possedere cose nuove, cose di cui non avevano realmente bisogno e da cui non dipendeva certo la felicità. E in un ambiente tanto ansioso e affollato era molto più difficile instaurare relazioni sincere col prossimo che non in una sperduta fattoria di campagna. «Un pensiero sfidava la mia comprensione» scriveva Wordsworth a proposito della sua residenza londinese, «e cioè come si potesse vivere anche tra vicini da perfetti sconosciuti, quasi uno non conoscesse il nome dell'altro.»

In preda a svariate sofferenze di siffatta natura emersi anch'io, qualche mese prima di recarmi nel Lake District, da una riunione nel centro di Londra – quel «mondo turbolento / di uomini e cose» (*Preludio*). Invidioso e angosciato, mi allontanai dal luogo del meeting solo per trarre inatteso sollievo dalla vista di un immenso oggetto sopra la mia testa, oggetto che nonostante l'oscurità provai anche a fotografare con una macchina tascabile e che mi comunicò, come raramente era avvenuto prima di allora, tutta la forza di redenzione della natura di cui gran parte della poesia di Wordsworth si era occupata.

La nuvola era arrivata su quella parte di città solo pochi minuti prima ma, considerando il forte vento da ovest, non era destinata a rimanerci a lungo. Le luci dei circostanti palazzi di uffici tingevano i suoi lembi di quasi decadenti

138

bagliori aranciati e fluorescenti, come un vecchio dall'aria grave bardato con ghirlande da festicciola, eppure il centro color grigio granito ne riconduceva con sicurezza l'origine alla lenta interazione tra mare e atmosfera. Presto avrebbe sorvolato i campi dell'Essex, quindi le paludi e le raffinerie di petrolio, e infine si sarebbe diretta verso le ribelli onde del mare del Nord.

Mentre mi dirigevo alla fermata dell'autobus senza distogliere gli occhi da quell'apparizione, sentii le ansie placarsi e scemare, e mentalmente recitai i versi composti dal poeta sghembo in onore di una vallata del Galles.

... [la Natura] sa infatti così plasmare
La mente che è dentro di noi, così imprimervi
Quiete e bellezza e così nutrirla
D'elevati pensieri, che né le lingue maligne,
Né gli avventati giudizi, né lo scherno degli egoisti,
Né i complimenti ipocriti, né tutte
Le tetre consuetudini della vita quotidiana
Avranno mai ragione di noi, né turberanno
La nostra gioiosa certezza che quanto vediamo
È benedetto.

5

Nell'estate del 1798 William Wordsworth e la sorella Dorothy fecero un'escursione nel Galles, nella valle del Wye, dove il poeta conobbe un momento di rivelazione sul potere della natura destinato a permeare la sua poesia per tutti gli anni a venire. Era stato in quella valle già una volta: cinque anni prima vi aveva camminato in lungo e in largo, ma nel successivo intervallo di tempo aveva fatto molte esperienze infelici. Aveva trascorso mesi a Londra, città che temeva, aveva letto Godwin e di conseguenza modificato la propria visione politica, grazie all'amicizia con Coleridge aveva trasformato

140

la sua percezione della missione poetica e aveva infine attraversato la Francia rivoluzionaria, martoriata dal regime del Terrore di Robespierre.

Tornato sulle rive del Wye, Wordsworth trovò un punto elevato, sedette sotto un sicomoro, lasciò vagare lo sguardo sul fiume e sulla vallata, sulle rocce, le siepi e i boschi, e fu ispirato a tal punto da scrivere quella che è forse la sua poesia più grande. O, di sicuro, «mai ho composto poesia in circostanze più piacevoli da ricordare di questa» spiegò in seguito a proposito dei *Versi composti ad alcune miglia dall'abbazia di Tintern*, sottotitolati *rivisitando le rive del fiume Wye durante un'escursione, il 13 luglio 1798*, un'ode dedicata alla forza ristoratrice della natura.

Pur a lungo lontano,
Queste essenze di bellezza non sono state per me
Ciò ch'è un paesaggio agli occhi d'un cieco;
Ché spesso, in luoghi solitari o in mezzo al frastuono
Di paesi e di città, sono stato loro debitore,
Nei momenti di noia, di dolci sensazioni...
Capaci d'infondervi un quieto ristoro.

La dicotomia tra città e campagna costituisce l'ossatura centrale del poema, laddove la seconda si ritrova spesso invocata a controbilanciare la perniciosa influenza della prima.

... pure quante volte
Nelle tenebre o in mezzo alle molteplici forme
Della grigia luce quotidiana, quando la vuota
Inquietudine e la stessa febbre del mondo
Hanno sopraffatto i palpiti del mio cuore,
Quante volte nel mio spirito mi son rivolto a te,
Silvestre Wye! Esploratore dei boschi,
Quante volte il mio spirito si è volto a te!

Philip James de Loutherbourg, *Il fiume Wye a Tintern Abbey*, 1805

Espressione di gratitudine, questa, destinata a ricorrere spesso nel *Preludio*, dove ancora una volta il poeta riconosceva il suo debito verso la Natura per avergli concesso di soggiornare nelle città senza soccombere alle emozioni di fondo che normalmente vi albergano:

Se, mescolandomi al mondo, sono contento
Dei miei modesti piaceri, e ho vissuto
... lontano
Da piccole animosità e bassi desideri,
Il merito è tuo...
Dei tuoi venti e delle tue sonanti cataratte! tuo,
delle tue montagne! tuo, o Natura!

6

Perché? Per quale ragione accanto a una cataratta, a una montagna o a qualunque altra porzione di natura dovremmo essere meno esposti a «piccole animosità e bassi desideri» di quando siamo nelle strade affollate?

Il Lake District aveva qualcosa da dirci in merito. Il primo mattino del nostro soggiorno M. e io ci alzammo di buon'ora e scendemmo a fare colazione nella saletta del Mortal Man: pareti rosa e finestre affacciate su una lussureggiante vallata. Pioveva forte ma, prima di servirci il porridge e informarci che le uova erano un extra, il gestore ci assicurò che si trattava solo di maltempo passeggero. Da un registratore provenivano le note di un flauto peruviano, alternate a brani del *Messia* di Händel. Terminata la colazione preparammo lo zainetto e ci recammo ad Ambleside, dove acquistammo una bussola, una busta impermeabile trasparente per la cartina, acqua, cioccolata e panini.

Nonostante le piccole dimensioni, Ambleside era indaffarata come una metropoli: camion che scaricavano rumorosamente le loro merci davanti ai negozi, un pullulare di cartelloni pubblicitari di alberghi e ristoranti della zona e sale da tè affollate anche a quell'ora insolita. I giornali negli espositori esterni di un'edicola riportavano gli ultimi sviluppi di uno scandalo politico londinese.

Pochi chilometri più in là, nella valle di Great Langdale a nord-ovest della cittadina, l'atmosfera era completamente diversa. Per la prima volta dal nostro arrivo nel Lake District ci ritrovammo davvero immersi nella profonda campagna, dove la natura aveva la meglio sulla presenza umana. Ai due lati del sentiero crescevano delle querce, ciascuna ben lontana dall'ombra di quella vicina, e tutte in campi così appetibili per il palato ovino da essere stati trasformati in aiuole perfettamente tosate. Le querce avevano un portamento nobile, i rami assai diversi da quelli chini e prostrati dei salici, le chiome composte, nulla a che vedere con certi pioppi scapigliati che sembrano esser stati tirati giù dal letto nel cuore della notte. Stringevano a sé i rami più bassi, mentre quelli più alti si sviluppavano in piccole progressioni ordinate producendo un ricco fogliame dal contorno quasi perfettamente circolare – come alberi archetipici disegnati dalla mano di un bambino.

La pioggia, che continuò a cadere imperterrita nonostante le promesse dell'albergatore, ci aiutava a percepire ancora meglio la massa delle querce. Sotto il loro umido riparo udivamo le gocce battere su migliaia di foglie, in un armonioso ticchettio il cui tono variava a seconda che l'acqua stillasse su di una foglia più grande o più piccola, posta in basso o in alto, già appesantita o ancora asciutta. Quegli alberi erano lo specchio di una complessità ordinata: le radici che sistematicamente traevano nutrimento dal suolo, i capillari dei tronchi che inviavano acqua fino a venticinque metri di altezza, ogni ramo che assorbiva solo il necessario per il fabbisogno delle sue foglie, ogni foglia che contribuiva alla conservazione dell'insieme. Ed erano anche l'immagine della pazienza, così capaci di sopportare senza un lamento quella mattinata piovosa e le molte che l'avrebbero seguita, adattandosi al lento mutare delle stagioni – nessuna rabbia per via di un temporale, nessun desiderio di fuga e di viaggi avventurosi in altre valli, soddisfatte di poter continuare ad affondare le loro dita sottili nella terra pastosa, metri e metri sotto il tronco e le foglie più alte, gravide d'acqua. A Wordsworth piaceva molto sedere sotto le querce e ascoltare la pioggia o guardare i raggi del sole filtrare attraverso il fogliame. Ciò che riconosceva come pazienza e dignità di quegli alberi lo colpiva in quanto caratteristico di tutto l'operare della Natura e come prezioso dono di tenuta e resistenza:

> ... prima che la mente si intossichi
> Con gli oggetti del momento, con la danza affannosa
> Delle cose che passano, un misurato spettacolo
> Di quanto saprà durare.

La Natura, riteneva, ci avrebbe indotti a cercare nella vita e nel prossimo «quanto vi è di desiderabile e buono». Essa era una «immagine della giusta ragione» capace di correggere gli impulsi sviati della vita urbana.

Accettare anche solo una parte degli argomenti di Wordsworth significa forse accettare innanzitutto un principio: che le nostre identità sono più o meno malleabili, e che dunque cambiamo a seconda di coloro – e a volte di *ciò* – che frequentiamo. La compagnia di certe persone può esaltare la nostra sensibilità e generosità; quella di altre, la nostra competitività e invidia. L'ossessione di A per lo status e la gerarchia sociale può – anche se impercettibilmente – spingere B a dubitare di se stesso. Oppure la spiritosaggine di A può aiutare il senso dell'umorismo di B, rimasto finora inespresso, a emergere. Ma portate B in un ambiente diverso e anche le sue ansie cambieranno in funzione dei nuovi interlocutori.

Cosa possiamo dunque aspettarci che accada all'identità di una persona in presenza di una cataratta o di una montagna, di una quercia o di una celidonia, oggetti in fondo privi di coscienza e perciò – apparentemente, almeno – incapaci di incoraggiare o censurare i comportamenti umani? Per arrivare al nocciolo della fede di Wordsworth negli effetti benefici della natura, anche gli oggetti inanimati sarebbero in grado di esercitare un'influenza sull'ambiente circostante. Gli scenari naturali hanno il potere di evocare particolari valori – le querce la dignità, i pini la risolutezza, i laghi la calma – e di ispirarci quindi, in modi assai sottili, la virtù.

In una lettera scritta nell'estate del 1802 a un giovane studente Wordsworth discuteva gli obiettivi della poesia e, così facendo, arrivò quasi a specificare i valori che sentiva incarnati dalla Natura: «Un grande Poeta... dovrebbe in certa misura rettificare i sentimenti degli uomini... renderli più *sani, puri e permanenti*, in breve, più consonanti alla Natura».

In ogni paesaggio naturale egli trovava esempi di questa sanità, purezza e permanenza. I fiori, tanto per citarne uno, erano modelli di umiltà e mansuetudine.

ALLA MARGHERITA

Dolce Creatura silenziosa!
Che all'aria e nel sole con me respiri,
Risana il mio cuore, tu, adusa,
Con la letizia, e un pizzico
Della tua mansueta natura!

Gli animali rappresentavano esempi di stoicismo. Wordsworth si affezionò a una cinciarella che, anche nelle condizioni climatiche più avverse, cantava imperturbata nel suo orto sopra il Dove cottage, e durante il primo inverno che vi trascorsero, lui e la sorella Dorothy furono conquistati da una coppia di cigni, nuovi della zona ma capaci di sopportare il freddo più pazientemente di loro.

Un'ora di cammino più tardi nella valle di Langdale, la pioggia ora leggera, M. e io udiamo un flebile *tsip* ripetuto e

147

alternato a un *tissip* più forte. Da un'alta macchia d'erba si levano in volo tre pispole, mentre un culbianco dalle orecchie nere guarda assorto dal ramo di una conifera scaldandosi le piume giallo camoscio al tardo sole estivo. D'improvviso qualcosa lo induce a spiccare anch'esso il volo e a girare e girare sopra la valle lanciando il suo rapido e acuto richiamo: *sciuer, sciuii, sciuii-u*. Richiamo che lascia del tutto indifferente un bruco intento a percorrere un sasso, e come lui le molte pecore sparse sulle pendici della valle.

Ma ecco che una di queste pecore caracolla in direzione del sentiero e viene a sbirciare con curiosità i visitatori. Fermi gli uni di fronte all'altro, umani e ovino si fissano con meraviglia. Dopo qualche istante la pecora si accoccola e pigramente bruca un po' d'erba, rimpallandosela di guancia in guancia e masticandola come un chewing-gum. Perché io sono io e lei è lei? Un'altra pecora si avvicina e va ad accomodarsi accanto alla compagna, lana contro lana: per un attimo sembrano scambiarsi un'occhiata smaliziata e vagamente divertita.

Qualche metro più avanti da una massa di cespugli verde scuro che scende verso un ruscello udiamo provenire un verso, il borbottio indolente di un vecchio che si schiarisce la gola alla fine di un pasto pesante. Il verso è seguito poi da un fruscio affannoso, come se qualcuno stesse frugando in un letto di foglie alla spasmodica ricerca di un prezioso smarrito. Accorgendosi della nostra presenza, la creatura tace di colpo, un silenzio teso come quello di un bimbo che in fondo all'armadio trattiene il respiro giocando a nascondino. Ad Ambleside, gente che compra giornali e beve tè con gli *scones*. Qui, sepolto in un cespuglio, un esserino probabilmente coperto di pelliccia e dotato di coda, ghiotto di bacche o di insetti, che zampetta grugnendo tra le foglie – un essere, pur con tutte le sue stranezze, *contemporaneo*, una creatura perfettamente viva, che dorme e respira su questo pianeta unico in un universo di pietra, silenzio e vapori.

Tra le ambizioni poetiche di Wordsworth c'era quella di farci notare gli animali che vivono normalmente intorno a noi e che pure ignoriamo, registrando la loro presenza solo con la coda dell'occhio, senza guardare realmente ciò che fanno e ciò che vogliono. Presenze sfuggenti, generiche: l'uccello sul campanile, la creatura che fruga nel cespuglio. Ma per quale motivo dovremmo trovare queste cose interessanti, addirittura ispiratrici? Forse perché l'infelicità può derivare dal fatto di avere un'unica prospettiva nella vita.

Qualche giorno prima di partire per il Lake District mi era capitato tra le mani un tomo ottocentesco che parlava degli interessi ornitologici di Wordsworth e che, nella prefazione, alludeva ai benefici derivanti dalla prospettiva alternativa che gli uccelli fornivano.

Son persuaso che tutti ne avrebbero grande piacere se la stampa locale, quotidiana e settimanale di tutto il paese rendesse conto, oltre che degli spostamenti di Lord e Lady, dei membri del Parlamento e di tutti i personaggi importanti di questa terra, anche degli arrivi e delle partenze degli uccelli.

Se i valori elitari della nostra epoca sono per noi altrettante fonti di sofferenza, forse possiamo trovar sollievo nel tenere a mente la varietà della vita sul pianeta e, accanto agli affari dei massimi esponenti della nazione, ricordare che tra i campi svolazzano anche pispole pispoleggianti.

Riesaminando le prime poesie di Wordsworth, Coleridge dichiarò che la loro genialità consisteva nel

rivestire le cose di ogni giorno del fascino della novità e nel risvegliare un senso affine a quello del soprannaturale, strappando la mente alla letargia dell'abitudine e indirizzandola verso la gradevolezza e le meraviglie di questo nostro mondo; un tesoro inestimabile, ma per il quale, in conseguenza della familiarità e delle preoccupazioni egoistiche, abbiamo occhi eppure non vediamo, orecchie e non sentiamo, e cuori che non sentono né comprendono.

149

Asher Brown Durand, *Anime gemelle*, 1849

Come sosteneva Wordsworth, la «gradevolezza» della Natura potrebbe invece incoraggiarci a scoprire il buono in noi stessi. Due persone ferme su uno sperone roccioso che domina un fiume e una magnifica vallata boscosa possono trasformare non solo il proprio rapporto con la natura ma, e altrettanto significativamente, quello reciproco.

Esistono preoccupazioni che, in presenza di una roccia, appaiono indecenti, e altre a cui essa si accorda invero benissimo: la maestosità delle formazioni geologiche incoraggia la parte ferma ed elevata che alberga in noi, le loro dimensioni ci insegnano a rispettare con buona grazia e rispettosa umiltà tutto ciò che ci è superiore. Naturalmente è possibile provare invidia per un collega anche al cospetto di una potente cataratta, ma, stando al messaggio di Wordsworth, si tratta di un'eventualità più remota. Il poeta dichiarava infatti che proprio grazie a un'esistenza passata a contatto con la natura il suo carattere aveva imparato a contrapporsi alla competitività, all'ansia e all'invidia – e per questo esultava:

... finalmente ho guardato l'Uomo
Attraverso le cose grandi e belle;
Per mezzo di esse ho con lui comunicato. È nata
Così una protezione sicura e una difesa
Contro il peso della meschinità, degli egoismi,
Dei modi grezzi, delle passioni volgari, che ci assediano
Da ogni parte del mondo ordinario
Dove traffichiamo.

7

M. e io non potevamo trattenerci a lungo nel Lake District. Tre giorni dopo il nostro arrivo sedevamo nuovamente sul treno per Londra, dirimpetto a un tizio che rincorreva invano al cellulare un certo Jim suo debitore – così apprese l'intero vagone grazie alle telefonate che si susseguirono attraverso campi e città industriali.

151

Persino accettando il carattere benefico del contatto con la natura, dunque, gli effetti che ne derivano sono certamente limitati dalla brevità dello stesso: difficilmente tre giorni nel verde riuscirebbero a sortire effetti psicologici di durata superiore a qualche ora.

Wordsworth, però, non era così pessimista. Nell'autunno del 1790 si recò in escursione sulle Alpi. Da Ginevra andò nella valle di Chamouni, superò il passo del Sempione e attraverso le gole di Gondo scese sul lago Maggiore. In una lettera alla sorella in cui descriveva i panorami ammirati diceva: «E mentre tanti di questi scenari mi fluttuano dinanzi agli occhi, provo immenso piacere nel riflettere che forse *non un giorno* [corsivo mio] trascorrerà senza ch'io derivi un po' di felicità da queste immagini».

Non si trattava affatto di un'iperbole. A decenni di distanza le Alpi continuavano a vivere dentro di lui e a comunicargli forza ogni qual volta le evocava. Per questa ragione giunse a dire che certi spettacoli ci accompagnano per tutta la vita, e quando si riaffacciano alla nostra coscienza possono offrirci un antidoto e un sollievo dalle difficoltà del presente. Chiamò poi queste esperienze a stretto contatto con la natura «geografie del tempo».

Esistono nella nostra vita geografie del tempo,
Che con netta preminenza conservano
Una forza rinnovatrice...
Che penetra, che ci permette di salire,
Già alti, ancor più in alto, e ci solleva quando cadiamo.

La fiducia in particolari naturali tanto piccoli e critici spiega forse l'insolita meticolosità con cui Wordsworth sottotitolava molti dei suoi componimenti. Nel caso di *Tintern Abbey*, il sottotitolo (*rivisitando le rive del fiume Wye durante un'escursione, il 13 luglio 1798*) comprendeva il giorno esatto, il mese e l'anno quasi a suggerire che pochi istanti trascorsi in una località panoramica sopra una verde vallata possono rivelarsi tra i più decisivi e utili di tutta una vita, e altrettanto meritevoli di essere ricordati della data di un matrimonio o di un compleanno.

Anch'io ebbi il privilegio di conoscere una «geografia del tempo». Accadde nel tardo pomeriggio del secondo giorno di permanenza nel Lake District. M. e io sedevamo su una panchina nei pressi di Ambleside e mangiavamo barrette al cioccolato. Dopo aver scambiato qualche commento circa i rispettivi gusti in materia – lei preferiva quelle con ripieno al caramello, io quelle con biscotto secco – eravamo sprofondati nel silenzio e mi ero messo a contemplare una macchia di alberi presso un ruscello oltre il campo. Le chiome erano una tavolozza di colori e c'erano tutte le gradazioni possibili di verde. L'impressione generale era quella di piante straordinariamente sane e vigorose, indifferenti alla vecchiaia e alla tristezza del mondo. Provai l'impulso di sprofondarvi la faccia, per ritemprarmi con il loro odore. Mi pareva strordinario che, senza preoccupazione alcuna per la felicità di due persone sedute a sgranocchiare barrette su una panchina, la natura da sola potesse aver congegnato una scena tanto in armonia col senso umano di bellezza e proporzione.

Ma la mia sensibilità al paesaggio non durò più di un minuto. Pensieri di lavoro si intrufolarono nella mia testa e M. mi chiese di tornare alla locanda per fare una telefonata. Non mi resi conto di quanto si fosse impressa la scena nella mia memoria fino a un pomeriggio in cui, bloccato nel traffico londinese e assillato dalle preoccupazioni, gli alberi tornarono a me scansando con decisione un mucchio di impegni e di corrispondenza inevasa e imponendosi alla mia coscienza. Di colpo mi ritrovai lontano dal traffico e dalla folla, davanti ad alberi che vedevo ancora chiaramente pur non conoscendone il nome. Alberi che offrivano un puntello contro cui poggiare i miei pensieri stanchi, che mi proteggevano dai gorghi dell'ansia e che a modo loro, quel pomeriggio, mi fornirono una ragione in più per vivere.

Alle undici del mattino del 15 aprile 1802 Wordsworth

scorse una distesa di narcisi sulla riva occidentale del lago Ullswater, qualche chilometro più a nord di dove eravamo stati M. e io. In diecimila «danzavano nella brezza» scrisse, e accanto a quei fiori parevano danzare anche le onde scintillanti del lago, sebbene «in letizia dai narcisi soverchiate». «Il bene che la vista mi recava» si era trasformato in una geografia del tempo,

> *Ché spesso, quando me ne sto coricato,*
> *Senza pensieri, o pensieroso, i narcisi*
> *Mi balenano all'occhio interiore*
> *Che rende la solitudine beata,*
> *E allora mi si ricolma il cuore*
> *Di piacere, e danza con loro.*

L'ultimo verso è forse un po' infelice, potenzialmente esposto alle byroniane accuse di leziosaggine, e ciononostante capace di offrire l'idea consolante che, pensierosi o senza pensieri, immersi nel traffico del «mondo turbolento», possiamo sempre richiamare immagini dei nostri viaggi nella natura, immagini di una macchia d'alberi o di una distesa di narcisi in riva a un lago, e, con il loro aiuto, smussare un po' gli effetti di «piccole animosità e bassi desideri».

Attraversando il Lake District, 14-18 settembre 2000

VI

SUL SUBLIME

Luogo	*Deserto del Sinai*	
Guide	*Edmund Burke*	*Giobbe*

1

Da sempre sensibile al fascino del deserto, attratto dalle immagini dell'Ovest americano (palle d'erba formate dal vento che rotolano su una piana desolata) e dai nomi delle grande distese di sabbia o di roccia (Mojave, Kalahari, Taklamakan, Gobi), un bel giorno prenotai un posto su un volo per Eilat, in Israele, e andai a fare un giro nel Sinai. Sull'aereo feci un po' di conversazione con un'australiana assunta dall'Hilton di Eilat come bagnina e mi dedicai alla lettura di Pascal:

Quando considero... il piccolo spazio che occupo ed anche quello che vedo perduto nell'infinita immensità degli spazi che ignoro e che mi ignorano («l'infinie immensité des espaces que j'ignore et qui m'ignorent»), mi atterisco e mi stupisco di vedermi qui piuttosto che altrove, perché io sia oggi piuttosto che allora. Chi mi ci ha messo?

Pensées, 68

Wordsworth ci invitava a visitare la campagna per provare emozioni da cui la nostra anima avrebbe tratto beneficio: io invece ero partito per il Sinai per trovare qualcosa che mi facesse sentire piccolo.

Solitamente non è piacevole sentirsi piccoli – per colpa di un portiere d'albergo o di un paragone con le gesta dei grandi eroi. Esiste tuttavia un modo assai più soddisfacente di sperimentare il senso di piccolezza, un modo che intuiamo dinanzi a quadri come *Montagne Rocciose, Lander's Peak* (1863) di Albert Bierstadt, *Valanga sulle Alpi* (1803) di Philip James de Loutherbourg o *Scogliere di gesso a Rügen* (1818 ca.) di Caspar David Friedrich. Perché? Cosa ci trasmettono luoghi tanto desolati e imponenti?

157

Albert Bierstadt, *Montagne Rocciose, Lander's Peak*, 1863

2

Il mio viaggio dura da due giorni quando, insieme al gruppo di dodici persone a cui mi sono unito, giungo in una valle completamente priva di vita. Niente alberi, né erba, né acqua o animali: solo macigni sparsi ovunque sul terreno di arenaria, come se a furia di pestare i piedi un gigante capriccioso li avesse fatti rotolare dai monti circostanti. A guardarli meglio questi monti sembrano delle Alpi nude e la loro nudità svela origini geologiche di norma occultate sotto il manto della terra e delle foreste di conifere. Tagli e fenditure ci parlano della pressione dei millenni, come spaccati di incommensurabili distese temporali. Le placche tettoniche della terra hanno corrugato il granito come una pezza di lino e le montagne si stendono a perdita d'occhio, fin dove il Sinai cede il passo a una piatta distesa di pietrisco rovente che i beduini chiamano «El Tih», o deserto dell'Errante.

3

Pochi luoghi suscitano emozioni che si lasciano descrivere con un'unica parola, e per comunicare quel che proviamo davanti alla luce dei primi tramonti autunnali, o a uno stagno dalle acque immobili nella radura di un bosco, dobbiamo quasi sempre ricorrere a lunghe verbalizzazioni.

All'inizio dell'Ottocento, tuttavia, venne in auge una parola capace di qualificare in maniera puntuale e precisa la reazione emotiva che si prova al cospetto di precipizi e ghiacciai, firmamenti notturni e deserti costellati di macigni. Dinanzi a simili spettacoli, infatti, tutti saremmo stati probabilmente colti dal senso del sublime, e grazie a tale espressione ci saremmo potuti far comprendere quando in seguito avessimo riferito la nostra esperienza.

Philip James de Loutherbourg, *Valanga sulle Alpi*, 1803

Caspar David Friedrich, *Scogliere di gesso a Rügen*, 1818 ca.

Il termine traeva origine da un trattato del II secolo d.C. intitolato *Del sublime* e attribuito all'autore greco Longino.

Nessuno se ne occupò molto fino a quando, nel 1712, una ritraduzione in lingua inglese riaccese la scintilla dell'interesse dei critici che, a prescindere dalle differenze di approccio analitico, si trovarono stranamente d'accordo nel raggruppare all'interno della medesima categoria descrittiva una varietà di paesaggi altrimenti dissonanti, e questo in virtù di elementi quali l'estensione, il senso di vuoto o di pericolo evocato e il particolare sentimento che suscitavano, piacevole e moralmente buono al contempo. Il valore di un paesaggio non era dunque determinato più solo da criteri estetici formali (l'armonia cromatica o la proporzione geometrica) o da considerazioni di ordine pratico ed economico, bensì dalla capacità dei luoghi di indirizzare la mente verso il sublime.

Nel suo saggio sui *Piaceri dell'immaginazione* Joseph Addison citava il senso di «quiete e meraviglia deliziose» provato al cospetto di «un'immensa campagna piatta, di un deserto arido e smisurato, di gigantesche masse montuose, di rocce e dirupi imponenti e di una vasta distesa d'acqua». Nel trattato *Come la mente sia elevata dal sublime* Hildebrand Jacob elencava invece i luoghi e i momenti ritenuti più adatti a suscitare l'ambito sentimento, vale a dire i mari, sia calmi, sia in tempesta, il tramonto, i precipizi, le grotte e le montagne svizzere.

I viaggiatori vollero subito andare a verificare. Nel 1739 il poeta Thomas Gray partì per un'escursione sulle Alpi, la prima di una lunga serie di dichiarate ricerche del sublime, e così scrisse: «Nella nostra piccola spedizione fino alla Grande Chartreuse non ricordo di aver compiuto mai più di dieci passi senza proferire qualche esclamazione impossibile a contenersi. Ogni strapiombo, ogni torrente, ogni roccia sono gravidi di spirito e di poesia».

Alba, Sinai meridionale: che emozione è mai questa? A suscitarla sono una valle antica quattrocento milioni di anni, una montagna di granito alta duemilatrecento metri e il segno lasciato dall'erosione dei millenni sulle pareti di una successione di ripidi canyon. Davanti a tutto ciò l'uomo non è che futura polvere: il sublime come incontro – piacevole e addirittura esaltante – con la nostra debolezza, dinanzi alla forza, all'età e alla vastità dell'universo. Nello zaino ho una torcia elettrica, un cappellino ed Edmund Burke. A ventiquattro anni, dopo aver abbandonato gli studi di giurisprudenza a Londra, Burke scrisse *Inchiesta sul bello e il sublime* e dichiarò, in maniera assolutamente categorica, che il sublime è sempre legato a una sensazione di debolezza. I paesaggi belli erano moltissimi: i campi a primavera, le morbide vallate, le querce, le macchie di fiori sulle rive dei ruscelli (di margherite, soprattutto). Ma ciò non significava che fossero sublimi. « Se le qualità del sublime e del bello si trovano talvolta unite, ciò prova forse che siano la stessa cosa?... il bello e il sublime sono davvero idee di natura diversa... ma gli uomini sono abituati a parlare della bellezza in un modo figurato, cioè... estremamente incerto e indeterminato» lamentava il giovane filosofo, e tradiva così un filo di irritazione verso coloro che, ammirando il Tamigi da Kew, erano capaci di sospirare e chiamarlo sublime. Un paesaggio poteva invece evocare il senso del sublime solo se evocava quello di potenza, di una potenza superiore alla forza degli uomini e in grado perciò di minacciarli. I luoghi sublimi incarnavano una sfida alla nostra volontà, e Burke illustrava la sua tesi ricorrendo a un'analogia tra i buoi e i tori: «Un bue è un essere di grande forza, ma è una creatura innocente, estremamente servizievole, e per nulla pericolosa; per questa ragione l'idea di un bue non è affatto sublime. Un toro è pure forte; ma la sua forza è di altro genere; sovente capace di distruggere... perciò l'idea di un toro è grandiosa, ed esso si trova sovente posto in descrizioni sublimi e in nobili paragoni».

Esistevano dunque paesaggi simili ai buoi: innocenti e «per nulla pericolosi», malleabili dalla volontà umana. In uno di questi Burke aveva trascorso la sua giovinezza, per la precisione in un collegio quacchero nel villaggio di Ballitore, nella contea di Kildare, una cinquantina di chilometri a sudovest di Dublino, tra fattorie, orti, siepi, fiumi e giardini. Ma esistevano anche paesaggi simili ai tori, di cui Burke enumerava le caratteristiche salienti: la vastità, il vuoto, spesso l'oscurità e l'apparente infinitezza dovuta all'uniformità e successione degli elementi costitutivi. A questa seconda categoria apparteneva il Sinai.

5

Ma da cosa nasceva il piacere? E perché rincorrere il senso di piccolezza – goderne, addirittura? Perché abbandonare le comodità di Eilat, unirsi a un gruppo di adoratori del deserto e camminare per chilometri con un pesante zaino sulle spalle, lungo le rive del golfo di Aqaba, per raggiungere un luogo muto e roccioso, dove cercare affannosamente riparo dal sole all'ombra restia di giganteschi macigni? Perché contemplare inebriati, anziché disperati, letti di granito e distese di pietrisco, la lava congelata di montagne che si perdono fino all'orizzonte, picchi che si dissolvono solo ai bordi di un impenetrabile cielo azzurro?

Una risposta è che non sempre e non per forza dobbiamo odiare quanto è più potente di noi. Ciò che resiste alla nostra volontà può certo innescare rabbia e risentimento, ma anche suscitare soggezione e rispetto. L'importante è capire se l'ostacolo appare nobile nella sua sfida, oppure patetico e insolente. Se dunque da un lato tolleriamo male la provocatoria tracotanza del portiere, dall'altro rispettiamo la salda opposizione della vetta avvolta dalle nuvole, e se il potere

unito alla meschinità ci umilia, la potenza unita alla nobiltà ci soggioga. Per riprendere e ampliare l'analogia animale di Burke, un toro può suscitare il senso del sublime ma un piranha no. A quanto pare è tutta una questione di motivazioni: alla forza del secondo attribuiamo infatti una qualità maligna e predatoria, a quella del primo un carattere sincero e impersonale.

Il comportamento degli altri e i nostri stessi difetti concorrono in ogni caso a farci sentire piccoli anche quando siamo ben lontani dai deserti. Nel mondo degli uomini l'umiliazione è perennemente in agguato e non di rado la nostra volontà viene sfidata e i nostri desideri frustrati. Il senso di inadeguatezza non è dunque responsabilità dei paesaggi sublimi: essi ci permettono semmai, e qui sta forse il nocciolo della questione, di guardare in modo nuovo e più fecondo a un'inadeguatezza ormai nota. I luoghi sublimi ribadiscono in termini solo più elevati una lezione che il quotidiano tende a insegnarci in maniera piuttosto brutale: che l'universo è più forte di noi, che siamo fragili e di passaggio e che dobbiamo accettare i limiti imposti alla nostra volontà, piegandoci a necessità di ordine superiore.

È la stessa lezione iscritta nelle pietre del deserto e nelle distese di ghiacci dei poli, solo che qui assume proporzioni tali da farci sentire, anziché annientati, ispirati da ciò che è oltre la nostra portata e privilegiati per la nostra subordinazione a necessità tanto maestose. Il senso di soggezione può addirittura sfumare in un desiderio di adorazione.

6

Poiché ciò che è più potente dell'uomo è stato sempre tradizionalmente chiamato Dio, non è certo strano ritrovarsi a pensare al divino proprio sul Sinai. Valli e montagne suggeriscono qui in modo quasi spontaneo che il pianeta è stato forgiato ben prima della nostra nascita da una forza diversa da quella delle nostre mani, assai più grande dell'energia che potremmo mettere insieme da soli, e per durare a lungo anche dopo che saremo estinti (cosa di cui è facile dimenticarsi quando camminiamo tra campi di fiori o ristoranti fast food). Si dice che Dio abbia passato molto tempo sul Sinai, in particolare due anni nella zona centrale, cercando un gruppo di irascibili israeliti che si lamentavano per la mancanza di cibo e avevano un debole per le divinità straniere. «Il Signore venne dal Sinai» recita Mosè poco prima di morire (*Deut.* 33.2). «Ora il Monte Sinai era tutto fumante, perché vi era sceso il Signore nel fuoco; e il suo fumo si alzava come il fumo di una fornace e tutto il monte tremava forte» si legge nell'*Esodo* (19.18). «Ora tutto il popolo vedeva i tuoni e i lampi, il suono della tromba e il monte fumante: il popolo vide, tremò e se ne stette a distanza... Mosè rispose: 'Non temete, poiché Dio è venuto per mettervi alla prova...'» (*Ibid.* 20.18-19).

Ma la storia biblica serve solo a rinforzare un'impressione che qui colpisce comunque il viaggiatore: l'impressione che in un simile spettacolo debba esserci lo zampino di una volontà più grande di quella dell'uomo, e dotata di un'intelligenza di cui la semplice «natura» è sprovvista; di un «qualcosa» per cui la parola Dio continua ad apparire, anche a menti di impostazione laica, l'appellativo più adatto. Al cospetto di una valle di arenaria, che si innalza in una sorta di gigantesco altare sovrastato da una sottile falce di luna, appare di colpo superflua la consapevolezza che esistono forze naturali, cioè non necessariamente sovrannaturali, in grado di generare bellezza e di comunicare un senso di potenza.

Non a caso i primi autori che si occuparono del sublime stabilirono spesso un legame tra i paesaggi di questo tipo e la religione.

Joseph Addison, *Sui piaceri dell'immaginazione*, 1712:

«I grandi spazi fanno nascere in me spontanei pensieri circa l'idea di un Essere Onnipotente».

Thomas Gray, *Lettere*, 1739:

«Certi scenari basterebbero da soli a suscitare in un ateo la soggezione della fede».

Thomas Cole, *Essay on American Scenery*, 1835:

«Negli scenari di solitudine da cui la mano della natura non si è mai levata, le associazioni vanno al Dio creatore – poiché essi sono le sue opere incontaminate, e la mente sprofonda nella contemplazione delle cose eterne».

Ralph Waldo Emerson, *Natura*, 1836:

«Il più nobile ministro della natura ha il dovere di alzarsi al semplice apparire di Dio.»

Non è una coincidenza che l'attrazione dell'Occidente per il sublime si sia sviluppata proprio mentre le forme di fede tradizionali cominciavano a declinare. Questi paesaggi rendevano possibile un'esperienza della trascendenza altrimenti nulla nelle città e nelle campagne coltivate e offrivano al viaggiatore l'occasione di stabilire un contatto emotivo con una forza superiore, liberandolo al contempo dalla necessità di aderire ai proclami più specifici e anacronistici dei testi biblici e delle religioni codificate.

7

Il nesso tra Dio e i luoghi del sublime appare quanto mai esplicito in un particolare libro della Bibbia. Le circostanze stesse sono assai particolari: un uomo probo ma disperato chiede a Dio di spiegargli per quale motivo la sua vita sia così piena di sofferenza, ed Egli risponde invitandolo a contemplare i deserti e le montagne, i fiumi e le cime ghiacciate dei monti, i mari e i cieli.

All'inizio del libro di Giobbe, definito da Burke il più

sublime tra quelli dell'Antico Testamento, apprendiamo che costui era un uomo ricco e devoto della terra di Uz. Aveva sette figli maschi e tre figlie femmine, settemila pecore, tremila cammelli, cinquecento coppie di buoi aggiogati e cinquecento asini. Ogni suo desiderio veniva esaudito e la sua probità ricompensata. Ma un giorno la disgrazia si abbatté su di lui. I sabei gli rubarono asini e buoi, il fulmine uccise le sue greggi e i caldei fecero razzia dei suoi cammelli. Un uragano proveniente dal deserto distrusse la casa del suo primogenito, uccidendolo insieme ai fratelli. Ulcere dolorose si diffusero quindi dalla pianta dei piedi alla cima della testa di Giobbe, che sedette tra le ceneri della propria casa a piangere e a grattarsi con un coccio.

Perché mai gli era toccata in sorte una simile sfortuna? Gli amici di Giobbe avevano una risposta: egli aveva peccato. Bildad il Suchita disse che il Signore non avrebbe ucciso i suoi figli se anch'essi non avessero peccato con lui: « Forse che Dio perverte il diritto? » E Zofar il Naamatita arrivò ad affermare che il Signore doveva essere stato addirittura generoso con lui: « Dio ha voluto dimenticare una parte delle tue colpe ».

Ma Giobbe non poteva accettare simili discorsi e li definì « detti di cenere » e « un mucchio d'argilla ». Lui non si era affatto comportato male: dunque perché gli accadeva ogni sorta di bruttura?

È una delle domande più acute rivolte a Dio in tutti i libri dell'Antico Testamento. E il Signore parlò a Giobbe dal turbine, dicendo:

Chi è costui che rende oscuro il consiglio,
con discorsi senza senno?
Orsù, cingiti come un prode i fianchi:
ti interrogherò e tu ammaestrami.
Dov'eri tu quand'io stabilivo le fondamenta della terra?
Parla dunque se possiedi tanta scienza!
Chi, se tu lo sai, ne fissò le dimensioni?
Oppure ci stese su di essa la corda per la misurazione?

172

[...]
Per quale via si distribuisce la luce,
e il vento orientale si sparge sulla terra?
Chi ha scavato il canale per la pioggia impetuosa,
e la via per il tuonante fulmine?
[...]
Dal ventre di chi è uscito il ghiaccio?
La brina del cielo chi l'ha generata?
[...]
Conosci le leggi del cielo?
L'influenza che esso ha sulla terra l'hai tu determinata?
Levi forse alla nube la tua voce,
sicché l'acqua in quantità ti ricopra?
[...]
Forse è per il tuo ingegno che vola lo sparviero,
e stende le sue ali verso mezzogiorno?
[...]
È forse il tuo braccio pari a quello di Dio?
E con voce simile alla sua tuoni?
[...]
Puoi forse prendere all'amo il Leviatan?

Dinanzi alla richiesta di spiegare perché Giobbe soffre nonostante sia stato buono, Dio richiama la sua attenzione sulla
magnificenza dei fenomeni naturali. Come a dire: non stupirti se le cose ti sono andate storte, l'universo è più grande
di te; e non stupirti se non capisci *perché* ti sono andate
storte, in quanto la logica dell'universo ti è insondabile;
guarda come sei piccolo vicino alle montagne; accetta ciò
che è più grande di te e che non riesci a comprendere. Se *a
Giobbe* il mondo appare illogico, non significa che esso sia
illogico *di per sé*. La nostra vita non è la misura di tutte le
cose: per ricordarci dell'insignificanza e della fragilità umane
basta rivolgere l'attenzione ai luoghi del sublime.

Ci troviamo di fronte a un messaggio intrinsecamente
religioso. Dio tranquillizza Giobbe dicendogli che ha sempre
un posto nel suo cuore, anche se non tutte le cose gravitano

intorno a lui e anzi sembra che a volte gli vadano decisamente contro. Quando la saggezza divina elude la comprensione umana, gli uomini probi, resi consapevoli dei propri limiti grazie allo spettacolo di una natura sublime, devono continuare a nutrire fiducia nel grande disegno di Dio per l'universo.

8

Il fatto che la domanda di Giobbe implichi una risposta di ordine religioso non rende la risposta meno valida per gli spiriti secolari. In virtù della loro forza e grandiosità i paesaggi sublimi conservano infatti un ruolo simbolico nell'aiutare tutti noi ad accettare senza amarezze o risentimenti ostacoli insormontabili ed eventi apparentemente privi di senso. Come ben sapeva il Dio dell'Antico Testamento, per sgonfiare un po' l'ego inflazionato degli uomini si può guardare ai semplici esempi di superiorità presenti in natura – le montagne, la circonferenza della terra, i deserti.

Se il mondo ci appare incomprensibilmente ingiusto, i luoghi sublimi ci dicono che non abbiamo nulla di cui stupirci, poiché noi non siamo che dei balocchi in balia di forze che hanno generato i mari e scolpito le montagne. I luoghi sublimi ci spronano insomma a riconoscere quei limiti che in situazioni diverse, nel corso ordinario degli eventi, affrontiamo con rabbia o con ansia. Non è solo la natura a sfidarci. Anche la vita umana è immensa e sconvolgente, ma a fornirci il promemoria migliore, più bello e rispettoso, di tutto quanto ci supera in forza e grandezza è proprio la vastità degli spazi naturali. Trascorrendovi un po' di tempo, questi spazi possono aiutarci ad accettare con maggior serenità gli eventi poderosi e imperscrutabili che sono motivo di sofferenza nella nostra vita e che, inevitabilmente, ci restituiranno polvere alla polvere, cenere alla cenere.

ARTE

VII

SULL'ARTE CHE APRE GLI OCCHI

Luogo	*Provenza*
Guida	*Vincent van Gogh*

1

Un'estate alcuni amici mi invitarono a trascorrere qualche giorno in una casa di campagna in Provenza. Sapevo che per molti il termine «Provenza» era ricco di associazioni, ma per me significava poco e nel sentirlo pronunciare la mia attenzione si spegneva, convinto com'ero, anche se in maniera del tutto arbitraria, che il luogo non mi fosse affatto congeniale. L'unica cosa che sapevo per certo era che quasi tutte le persone ragionevoli consideravano la Provenza una terra bellissima – «Ah, la Provenza!» sospiravano, in preda a un rispetto reverenziale normalmente riservato all'opera o alle porcellane di Delft.

Presi un volo per Marsiglia e lì noleggiai una piccola Renault con cui raggiungere la casa dei miei ospiti, ai piedi delle colline Alpilles, tra Arles e Saint-Rémy. Uscendo da Marsiglia feci confusione e mi ritrovai alla gigantesca raffineria di Fos-sur-Mer, il cui groviglio di tubi e torri di raffreddamento mi parlava della complessità del processo di produzione di un liquido che ero solito infilare senza pormi troppe domande nel serbatoio della macchina.

Alla fine riuscii a riportarmi sulla N568, che si snodava verso l'interno attraverso i campi di frumento della pianura della Crau. Essendo ancora molto presto decisi di fermarmi fuori St-Martin-de-Crau, a pochi chilometri dalla mia destinazione. Nei pressi di una macchia di ulivi accostai. Tutt'intorno, a parte il frinire delle cicale, regnava il silenzio. Oltre gli ulivi si apriva una distesa di grano delimitata da un filare di cipressi, e al di sopra delle cime dei cipressi si stagliava il profilo irregolare delle Alpilles. Più in alto ancora, il cielo perfettamente azzurro.

Osservai il panorama per un momento. Non ero a caccia

di nulla in particolare, né di uccelli predatori, né di case per le vacanze, né di ricordi. Ad animarmi era un impulso semplice ed edonistico: la ricerca della bellezza. «Deliziatemi e rigeneratemi»: questa la tacita sfida che rivolsi agli ulivi, ai cipressi e ai cieli della Provenza. I miei programmi erano molto elastici, i miei occhi disorientati dalla libertà di cui improvvisamente godevano. Venuti meno gli obiettivi che avevano caratterizzato la prima parte della giornata – cercare l'aeroporto, l'uscita giusta da Marsiglia, eccetera – i miei occhi ora vagavano impazienti di oggetto in oggetto, tanto che se una gigantesca matita avesse potuto ridisegnarne il percorso il cielo sarebbe stato presto oscurato da un impossibile garbuglio di segni.

Il paesaggio non era niente male, ma in pochi istanti mi resi conto di non avvertire nulla del fascino che spesso gli veniva ascritto. Più simili a cespugli che non ad alberi, gli ulivi avevano un'aria rachitica e i campi di grano mi ricordavano le distese piatte e monotone del Sud-Est dell'Inghilterra, dove avevo trascorso alcuni infelici anni da studente. In quel momento, dunque, non ebbi sufficiente energia per registrare anche i fienili, la pietra calcarea delle colline e i papaveri che crescevano ai piedi dei cipressi.

Annoiato e scomodo nell'interno in plastica ormai rovente della Renault, riaccesi il motore, partii e quando giunsi dai miei ospiti dichiarai che stavano semplicemente in paradiso.

Poiché in genere troviamo belli i paesaggi con la stessa immediatezza e apparente spontaneità con cui troviamo fredda la neve e dolce lo zucchero, è difficile immaginare di poter fare qualcosa per modificare o ampliare le nostre percezioni. Sembra quasi che tutto sia già stato deciso da qualità intrinseche ai luoghi o da particolari collegamenti all'interno della nostra psiche, e che dunque sia impossibile correggere i nostri gusti geografici così come lo sarebbe impedirci di trovare buono il nostro gelato preferito.

Eppure il gusto estetico potrebbe rivelarsi meno rigido

di quanto suggerito dall'analogia. Spesso trascuriamo certi luoghi perché nulla ci ha mai spronato a considerarli degni di interesse, o perché un'associazione casuale e sfortunata ci ha maldisposti nei loro confronti. Un pizzico di attenzione in più alla sfumatura argentea delle foglie o alla struttura dei rami degli ulivi potrebbe per esempio migliorare il nostro rapporto con questi alberi; nuove associazioni potrebbero legarci al grano se solo ci soffermassimo sul pathos di queste fragili e indispensabili spighe che chinano il generoso capo nella brezza; e riusciremmo ad apprezzare meglio i cieli della Provenza se qualcuno ci dicesse, anche in termini molto tecnici, che a contare è la gradazione del loro azzurro.

Forse lo strumento più efficace per arricchire la nostra capacità di osservazione del paesaggio è l'arte figurativa, e dunque possiamo considerare un gran numero di opere come altrettanti veicoli in grado di comunicarci, in buona sostanza, messaggi del tipo: «Guardate il cielo della Provenza, riconsiderate la vostra idea di grano, rendete giustizia agli ulivi». Tra i milioni di particolari che compongono un campo di cereali, per esempio, il capolavoro saprà porre l'accento su quelli in grado di ispirare l'interesse e il senso estetico dello spettatore. Riuscirà perciò a isolare elementi in genere sommersi nella massa dei dati percettivi, conferendo loro piena visibilità e aiutandoci, dopo averceli presentati, a riconoscerli istintivamente nel mondo che ci circonda – o, qualora li avessimo già scoperti da soli, a legittimarci nell'attribuire loro tutta l'importanza che meritano. È come udire improvvisamente una parola che in realtà è già stata ripetuta molte volte in nostra presenza, ma di cui solo ora cogliamo il significato.

E, nella misura in cui viaggiamo in cerca di bellezza, le opere d'arte possono in qualche modo contribuire a influenzare la scelta delle nostre mete.

Vincent van Gogh arrivò in Provenza alla fine del febbraio 1888. Aveva trentun anni e solo da otto si dedicava alla pittura, dopo i tentativi falliti di diventare insegnante, quindi prete. Nei due anni precedenti aveva vissuto a Parigi insieme al fratello Theo, commerciante d'arte che lo sosteneva finanziariamente. Dal punto di vista artistico era quasi del tutto privo di formazione, ma era diventato amico di Paul Gauguin e Henri de Toulouse-Lautrec, con i quali esponeva i propri lavori al Café du Tambourin sul boulevard de Clichy. «Ricordo ancora chiaramente l'eccitazione di quell'inverno, quando lasciai Parigi» scrisse Van Gogh a proposito del viaggio di sedici ore che lo condusse in Provenza. Sceso ad Arles, la città più prospera della regione, nonché centro del commercio delle olive e dell'industria ferroviaria, l'artista trascinò la sua valigia nella neve fresca (venticinque centimetri, una nevicata eccezionale) fino al piccolo Hôtel Carrel, non lontano dai bastioni nord della città, e nonostante il maltempo e la stanza angusta continuò a sentirsi assolutamente entusiasta di quel trasferimento in terra meridionale. «Credo che la vita qui sia un po' più appagante che in molti altri luoghi» fece presto sapere alla sorella.

Van Gogh sarebbe rimasto ad Arles fino al maggio del 1889, quindici mesi – il suo periodo considerato più grande – durante i quali produsse circa duecento dipinti, cento disegni e duecento lettere. I primi lavori mostrano la città coperta di neve, il cielo azzurro limpido, la terra di un rosa ghiacciato. Ma cinque settimane dopo il suo arrivo giunse anche la primavera, ed egli dipinse quattordici tele di alberi in piena fioritura nei campi alle porte di Arles. All'inizio di maggio si concentrò sul ponte mobile di Langlois, sull'Arles-Bouc Canal, a sud della città, e verso la fine del mese produsse una serie di paesaggi visibili dalla pianura della Crau, in direzione delle Alpilles e delle rovine dell'abbazia di Montmajour, dopodiché invertì la prospettiva e andò ad arrampicarsi tra i ruderi, in cerca di scorci di Arles. A metà giugno la sua attenzione si era già spostata su un nuovo soggetto: il raccolto, tema a cui nel giro di due settimane dedicò una decina di dipinti. Lavorava con straordinaria alacrità: «rapido, rapido, presto e in fretta, come il contadino intento solo alla mietitura sotto il sole cocente». E ancora: «Lavoro anche a mezzogiorno, sotto i raggi del sole, che mi godo come una cicala. Mio Dio, se solo avessi conosciuto queste terre a venticinque anni, anziché approdarvi a trentacinque!»

In seguito, spiegando al fratello le ragioni che lo avevano indotto a lasciare Parigi, Van Gogh parlò del forte desiderio di «dipingere il Sud» e della speranza di aiutare gli altri a «vederlo» tramite i suoi quadri. Per quanto incerto sulla propria capacità di realizzare il progetto, egli non dubitò mai della tenuta dello stesso sul piano teorico: gli artisti potevano cioè dipingere un pezzo di mondo e aprire così gli occhi ad altri perché potessero guardarlo meglio.

Se credeva tanto fermamente nella forza illuminante dell'arte era perché spesso l'aveva vissuta in prima persona. Da quando aveva lasciato la natia Olanda per trasferirsi in Francia gli era capitato soprattutto con la letteratura, ed era immensamente grato ad autori come Balzac, Flaubert, Zola e Maupassant per averlo reso consapevole delle dinamiche che governavano la società e la psicologia francesi. *Madame Bovary* gli aveva insegnato molte cose sulla vita della borghesia di provincia e *Papà Goriot* sugli studenti squattrinati e ambiziosi di Parigi, aiutandolo a riconoscere intorno a sé, negli incontri di ogni giorno, i protagonisti di tanti romanzi.

Ma anche la pittura aveva avuto effetti analoghi su di lui, e non di rado Van Gogh dedicò omaggi ai maestri che lo avevano aiutato a cogliere colori e atmosfere particolari. Velázquez, per esempio, aveva arricchito la sua tavolozza di grigi. Moltissime sue tele riproducevano infatti umili interni di abitazioni iberiche dalle pareti di mattoni o di semplice intonaco, dove, in pieno giorno, quando le persiane restavano chiuse per proteggere la casa dal caldo, il colore dominante era un grigio sepolcrale, occasionalmente trafitto, là dove una stecca appariva rotta o un'anta non perfettamente accostata, da un raggio giallo brillante. Non che Velázquez fosse l'inventore di simili effetti: semplicemente, pochi prima di lui avevano avuto l'energia o il talento necessari a coglierli e a trasformarli in esperienza comunicabile. Come un esploratore alle prese con un nuovo continente, Velázquez aveva legato il proprio nome – almeno per quanto riguardava Van Gogh – a una scoperta nel mondo della luce.

Vincent era solito pranzare in alcuni ristorantini del centro di Arles. Spesso anche lì le pareti erano scure, le persiane chiuse e la luce esterna abbacinante. Un giorno scrisse al fratello di essersi imbattuto in un'atmosfera degna di Velázquez: «Mi trovo in un ristorante molto strano. Tutto grigio... di un grigio alla Velázquez, come nelle *Filatrici*, non manca nemmeno il raggio di sole sottilissimo, intensissimo che come nel quadro penetra da una persiana... In cucina [ci sono] una vecchia e una sguattera bassa e grassa, anch'esse in grigio, bianco, nero... tutte Velázquez».

Van Gogh era convinto che fosse prerogativa di tutti i grandi maestri aiutare lo spettatore a cogliere in maniera più chiara certi aspetti del mondo. Se Velázquez era dunque la sua guida ai grigi e ai rozzi volti di floride cuoche, Monet era la sua guida ai tramonti, Rembrandt alla luce del mattino e Vermeer alle adolescenti di Arles («una Vermeer perfetta» commentò in una lettera al fratello dopo averne incontrata una dalle parti dell'arena). Il cielo sopra il Rodano dopo un acquazzone gli ricordava Hokusai, il frumento Millet e le giovani donne di Saintes-Mairie de la Mer Giotto e Cimabue.

3

Comunque, e fortunatamente per le sue personali ambizioni di pittore, Van Gogh non credeva che gli artisti venuti prima di lui avessero già colto tutto il coglibile della Francia del Sud.

Anzi, semmai riteneva che molti avessero mancato di cogliere anche solo l'essenziale: «Buon Dio» esclamava, «ho visto tele di pittori che non rendevano affatto giustizia ai loro soggetti! Ho tante di quelle cose su cui lavorare, qui».

Nessuno aveva per esempio catturato l'aria inconfondibile delle borghesi di mezza età di Arles. «Vi sono donne alla Fragonard, altre alla Renoir. Ma per certe *non esistono etichette già viste in pittura* [corsivo mio].» Allo stesso modo erano stati ignorati i braccianti che lavoravano nei campi fuori città: «Millet ha risvegliato il nostro sguardo mostrandoci l'uomo che abita la natura. Ma sino a oggi nessuno ha ancora dipinto il vero francese *meridionale* per noi». «In generale abbiamo forse imparato a vedere il contadino? *No, colui che sa farcelo vedere non esiste!*»

La Provenza che nel 1888 accolse Van Gogh era soggetto pittorico da oltre un secolo. Tra gli autori provenzali più noti vi erano Fragonard (1732-1806), Constantin (1756-1844), Bidauld (1758-1846), Granet (1775-1849) e Aiguier (1814-1865), tutti pittori realisti che avevano aderito all'idea classica, e sino a quel momento pressoché indiscussa, che il compito dell'artista fosse restituire un'accurata versione su tela del mondo visibile. Essi si erano dunque recati nei campi e sulle colline della Provenza e avevano dipinto versioni riconoscibili dei cipressi, degli alberi, dell'erba, del grano, delle nuvole e dei tori.

Ciononostante, Van Gogh era convinto che la maggioranza di loro non avesse reso giustizia ai soggetti prescelti e non avesse affatto prodotto descrizioni realistiche della Provenza. Possiamo infatti definire realista qualunque tela riesca a comunicare in maniera precisa elementi chiave del mondo; il quale mondo, però, è abbastanza complesso perché due dipinti realisti dello stesso luogo possano apparire alquanto diversi tra loro, a seconda dello stile e del temperamento dell'autore. Due pittori realisti possono dunque sedere davanti alla stessa macchia di ulivi e produrre schizzi diversissimi. Ogni opera realista comporta e ripropone infatti la scelta dei tratti di realtà che si vogliono porre in risalto, e nessun quadro, mai, può catturare l'intero, come ironicamente sottolineava Nietzsche:

IL PITTORE REALISTA

«*Fedele in tutto alla natura!*» – *Ma come ci riesce:*
Quando mai la natura sarebbe risolta *in un quadro?*
Infinito è il più esiguo frammento del mondo! –
Finisce per dipingere soltanto quello che piace *a lui.*
E che cosa gli piace? Quel che dipingere sa!

Se poi, a nostra volta, apprezziamo il lavoro del pittore, è perché riteniamo abbia selezionato i tratti caratteristici più importanti di una certa scena. Esistono selezioni così riuscite da arrivare a definire un luogo in modo quasi assoluto, tanto che non siamo più liberi di visitarlo senza ripensare costantemente a quel che vi ha trovato quel certo grande artista.

In maniera uguale e opposta, quando protestiamo perché un nostro ritratto «non ci assomiglia affatto» non stiamo in realtà accusando l'artista di averci imbrogliati. Semplicemente sentiamo che il processo di selezione insito in ogni opera d'arte non ha funzionato, e che parti di noi stessi che consideriamo essenziali non hanno ottenuto il dovuto riconoscimento. Potremmo insomma definire la cattiva arte come una serie di scelte sbagliate tra quanto va mostrato e quanto può essere invece tralasciato.

E il fatto che avessero trascurato l'essenziale era proprio il nocciolo della critica di Van Gogh alla maggioranza degli artisti che prima di lui avevano dipinto la Francia del Sud.

4

Guarda caso, nella camera degli ospiti trovai un libro su Van Gogh e poiché quella prima notte ebbi difficoltà a prendere sonno ne lessi diversi capitoli, addormentandomi infine con il volume aperto sulle ginocchia mentre a un angolo della finestra si affacciavano i primi rossori dell'alba.

Svegliatomi tardi, scoprii che i miei amici erano andati a Saint-Rémy e che mi avevano lasciato un biglietto in cui annunciavano il loro ritorno per l'ora di pranzo. In terrazza, su un tavolo di metallo, era apparecchiata la colazione. Mi avventai su tre *pains au chocolat* e li ingollai in rapida quanto colpevole successione, controllando l'eventuale arrivo di domestici pronti a riferire malignamente l'accaduto ai padroni.

Era una giornata tersa. In un campo vicino, il mistral scompigliava le spighe di frumento. Mi ero seduto nello stesso punto anche il giorno prima, ma solo ora notai la presenza di due grandi cipressi in fondo al giardino, scoperta non estranea a un capitolo del libro su Van Gogh dedicato al modo in cui l'artista aveva trattato il soggetto. Tra il 1888 e il 1889 aveva infatti realizzato numerosi schizzi di filari di cipressi.

«Essi occupano costantemente i miei pensieri» raccontava al fratello, «e sono sbalordito che non siano ancora stati visti come li vedo io. Il cipresso eguaglia per bellezza di linee e proporzione gli obelischi egiziani, e il suo verde ha una qualità così distintiva. È una macchia di *nero* in un paesaggio soleggiato, ma di una nota di nero tra le più interessanti e difficili da riprodurre esattamente.»

Cosa aveva dunque notato Van Gogh nei cipressi che altri non avevano visto? In parte, il modo in cui oscillavano al vento. Mi diressi in fondo al giardino e, confrontandoli con i dipinti (soprattutto *Cipressi* e *Campo di grano con cipressi*, del 1889), ne studiai attentamente il comportamento sotto le raffiche di mistral.

Vincent van Gogh, *Cipressi*, 1889

Vincent van Gogh, *Campo di grano con cipressi*, 1889

Il fenomeno aveva spiegazioni di ordine architettonico. Diversamente dai pini, i cui rami scendono delicatamente dalla cima dell'albero, le fronde del cipresso puntano dal basso verso l'alto, il tronco è insolitamente breve e l'ultimo terzo della pianta consiste nella sola chioma. Nel caso della quercia, il vento agita i rami ma il tronco resta fermo; nel caso del cipresso, a piegarsi è l'albero intero e, data l'abbondanza delle fronde sparse su tutta la circonferenza del tronco, pare anche piegarsi lungo più di un asse. Da una certa distanza, la mancanza di sincronicità nei suoi movimenti rafforza dunque l'impressione che il cipresso sia scosso da folate provenienti da angoli diversi, e grazie alla sua forma conica (raramente questi alberi superano il metro di diametro) giunge ad assomigliare fortemente a una fiamma nervosa. Tutte cose che Van Gogh notò e riuscì a far notare anche a chi guardava i suoi quadri.

A pochi anni di distanza dal soggiorno provenzale del pittore, Oscar Wilde commentò che a Londra, prima che Whistler la dipingesse, non c'era mai stata la nebbia. Sicuramente neanche nella Francia del Sud dovevano esserci mai stati cipressi, prima che Van Gogh li disegnasse.

Persino gli ulivi erano passati inosservati. Non più tardi del giorno prima io stesso ne avevo liquidato un esemplare dandogli del cespuglio, ma in *Olivi con cielo giallo e sole* e *Oliveto*, del 1889, Van Gogh seppe «portare fuori» (cioè porre in primo piano) la forma dei loro tronchi e delle loro foglie. Ora anch'io notavo una spigolosità che prima mi era sfuggita: gli alberi assomigliavano a tridenti conficcati nel suolo dopo un lancio da grande altezza. Simili a braccia flesse pronte a colpire, i rami degli ulivi tradivano una certa ferocia, mentre le foglie toniche e argentee apparivano attente e piene di energia, non come quelle di tanti altri alberi, flaccide come lattughe appese su rastrelliere di rami ignudi.

Con Van Gogh cominciai ad accorgermi che anche i colori della Provenza avevano qualcosa di speciale. Naturalmente le ragioni erano in parte climatiche: il mistral, che dalle Alpi soffia lungo la valle del Rodano, spazza regolarmente il cielo dalle nuvole e dall'umidità, lasciandolo di un azzurro intenso e puro, privo di qualunque traccia di bianco. Contemporaneamente, la falda freatica alta e la buona irrigazione contribuiscono alla crescita di una vegetazione davvero lussureggiante per un clima mediterraneo. In assenza di siccità le piante riescono dunque a trarre il massimo vantaggio dalla loro esposizione alla luce e al calore del mezzogiorno e, come se non bastasse, diversamente da quanto succede nelle regioni tropicali qui non c'è umidità nell'aria a «sporcare» e mescolare i colori di fiori, alberi, cespugli. La combinazione di cielo terso, aria secca, acqua e vegetazione lussureggiante fa sì che la Provenza sia quindi dominata da colori fondamentali vividi e ricchi di contrasti.

Prima di Van Gogh molti pittori avevano di fatto ignorato queste prerogative cromatiche, esprimendosi quasi solo attraverso colori complementari, così come Claude e Poussin avevano loro insegnato. Constantin e Bidauld, per esempio, avevano dipinto la Provenza servendosi esclusivamente di sottili gradazioni di celeste e marrone. Van Gogh era profondamente irritato da una simile mancanza di attenzione alla tavolozza della natura locale. «La maggior parte [dei pittori], non essendo coloristi... non vede il giallo, l'arancione, la nota sulfurea del Sud, e dà del pazzo al pittore che guarda con occhi diversi dai loro.» Egli abbandonò dunque la tecnica del chiaroscuro per inzuppare le sue tele di colori fondamentali, sempre disponendoli in modo tale da esaltare al massimo i contrasti: rosso con verde, giallo con viola, blu con arancione. «I colori qui sono magnifici» scriveva alla sorella. «Quando le foglie sono giovani il verde è brillante, brillante come raramente lo vediamo al nord. E quando si brucia e impolvera non perde nulla della sua bellezza, poiché allora il paesaggio acquista i toni variegati dell'oro: verde oro, giallo oro, rosso oro... E tutto ciò combinato al blu – dal blu reale più intenso dell'acqua, a quello nitido e chiaro dei nontiscordardimé.»

Vincent van Gogh, *Oliveto*, 1889

Fu come se i miei occhi si fossero sintonizzati di colpo sulla lunghezza d'onda cromatica che dominava nelle tele del grande artista: ovunque guardassi intorno a me vedevo ormai solo contrasti e colori fondamentali. Di fianco alla casa c'era un campo violetto di lavanda, e subito accanto una distesa gialla di grano. I tetti degli edifici spiccavano arancioni contro il cielo di un azzurro puro. Prati verdi si stendevano punteggiati di papaveri rossi e incorniciati da oleandri.

Ma una simile ricchezza non era limitata alle ore diurne: Van Gogh aveva dato risalto anche ai colori della notte. I pittori provenzali precedenti avevano sempre rappresentato il cielo notturno come uno sfondo scuro cosparso di minuscoli puntini bianchi. Quando in una serena notte di Provenza andiamo però a sederci all'aperto, lontano dai bagliori dei lampioni e delle case, ci accorgiamo che il firmamento contiene una profusione di colori: tra una stella e l'altra il cielo è blu scuro, violetto, di un verde quasi nero, e le stelle sono giallo, verde o arancione sbiadito e diffondono anelli di luce ben più ampi della loro esile circonferenza. Come spiegava Van Gogh alla sorella: «La notte è ancora più riccamente colorata del giorno... Se solo vi presti attenzione, ti avvedi che talune stelle sono giallo limone, altre emettono un chiarore rosato, altre irradiano aloni verdastri, azzurrini e blu nontiscordardimé. Senza per questo poter rimediare alla cosa, appare chiaro che mettere tanti puntini bianchi su una superficie nera non basta».

5

L'ufficio del turismo di Arles si trova nella zona sud-ovest della città, in un isolato di cemento uguale a tanti altri, e ai visitatori offre la solita scelta di cartine gratuite, consigli sugli alberghi, informazioni su festival ed eventi culturali, sui servizi di babysitteraggio, sulle enoteche con degustazione, sui siti archeologici locali, sui mercati e sui corsi di canoa. Una attrazione spicca però su tutte le altre: «Benvenuti nella terra di Vincent van Gogh» recita un poster con i famosi girasoli appeso nell'ingresso, e le pareti stesse sono decorate da scene della mietitura, frutteti e ulivi.

L'ufficio raccomanda inoltre caldamente il cosiddetto «percorso Van Gogh». In occasione del primo centenario della morte dell'artista, avvenuta nel 1890, la sua presenza nella regione è stata celebrata con una serie di placche – affisse a mo' di cartello su pali di metallo o inserite in lastre di pietra – nei punti immortalati dal maestro. Sulle placche, dislocate sia in città, sia nei campi di grano e negli uliveti che la circondano, si trovano le foto delle opere corrispondenti e alcune righe di commento. Il percorso si snoda fino a Saint-Rémy, dove, in seguito all'episodio all'orecchio, Van Gogh concluse il suo soggiorno provenzale alla Maison de Santé.

Convinsi dunque i miei ospiti a dedicare un pomeriggio a quella gita artistica e insieme ci recammo all'ufficio del turismo per prendere una cartina. Una volta lì scoprimmo che dal cortile adiacente stava partendo una gita guidata settimanale, e che per una cifra modesta c'erano ancora dei posti liberi. Ci unimmo così a una dozzina di altri entusiasti e per prima cosa fummo condotti in place Lamartine, dove tra l'altro la nostra guida ci disse di chiamarsi Sophie e di essere una studentessa della Sorbona impegnata in una tesi su Van Gogh.

Trovando troppo costoso l'albergo in cui aveva preso alloggio, ai primi di maggio del 1888 il pittore olandese si era trasferito in un'ala di un edificio posto al numero 2 della succitata piazza e noto come «la Casa Gialla».

In pratica si trattava della metà di una costruzione a doppia facciata, dipinta di giallo dal proprietario che però non aveva terminato gli interni. Fu così che Van Gogh sviluppò un grande interesse per l'arredamento e decise che la sua abitazione doveva essere semplice e uniforme, tutta nei colori del Sud: rossi, verdi, blu, arancioni, gialli verdognoli e

Vincent van Gogh, *La Casa Gialla* (*La casa di Vincent ad Arles*), 1888

lilla. «Intendo trasformarla davvero in *una casa d'artista* – niente di *prezioso*, ma tutto, dalle sedie ai quadri, dovrà avere carattere» disse al fratello. «In quanto ai letti, ne ho comprati di quelli grandi campagnoli, a due piazze, e ho eliminato quelli in ferro. Ciò contribuisce a creare un'atmosfera di solidità, tranquillità e durata.» E, completati gli arredi, così comunicava esultante alla sorella: «L'esterno della mia casa è giallo come il burro fresco, con abbaglianti persiane verdi, e se ne sta in pieno sole in una piazza che ha un giardino verde con platani, oleandri e acacie. Dentro invece è tutta d'intonaco bianco e i pavimenti sono di mattoni arancioni. Sopra di essa c'è il cielo azzurro intenso. Qui posso vivere e respirare, meditare e dipingere».

Purtroppo Sophie non aveva molto da mostrarci, poiché la Casa Gialla era andata distrutta durante la Seconda guerra mondiale e sostituita da un ostello per studenti assolutamente oppresso dal gigantesco supermercato Monoprix che gli sorgeva accanto. Proseguimmo quindi per Saint-Rémy, dove trascorremmo più di un'ora nei campi circostanti il manicomio dove Van Gogh aveva vissuto e continuato a dipingere. Sophie aveva con sé un grosso volume rivestito da una copertina di plastica contenente le riproduzioni dei più importanti quadri provenzali; spesso, nei punti in cui Van Gogh si era fermato a dipingere, si fermava a propria volta e lo sollevava, mentre noi ci guardavamo intorno. A un certo punto, le spalle rivolte alle Alpilles, ci mostrò *Olivi con le Alpilles sullo sfondo* (giugno 1889), e noi ammirammo prima la vista, quindi il quadro del maestro.

D'un tratto però nel gruppo vi fu un moto di dissenso. Un australiano con un enorme cappello fermo accanto a me si girò verso la compagna, una donnina dalla chioma arruffata, e disse: «Be', a me non sembra poi tanto simile».

Van Gogh aveva previsto e temuto accuse di quel genere. Alla sorella scriveva che più di un suo quadro era stato accolto da commenti del tipo: «'Hm, strano davvero' per non parlare di quelli che lo trovano un aborto o assoluta-

mente repellente». I motivi di simili critiche non erano certo un mistero: i muri delle sue case non sempre apparivano diritti, il sole non sempre era giallo, né l'erba sempre verde, e spesso nei suoi alberi c'era un eccesso di movimento. «Ho forse giocato troppo scombinando la realtà dei colori» gli capitò di ammettere, e in modo analogo scombinava linee, proporzioni, ombre e toni.

Così facendo, tuttavia, Van Gogh rendeva solo più esplicito un processo che coinvolge qualunque artista: il dover scegliere quali aspetti della realtà includere e quali escludere dalla propria opera. Come Nietzsche ben sapeva, la realtà stessa è infinita e l'arte non potrà mai rappresentarla per intero. Ciò che rendeva Van Gogh particolare e insolito nel panorama degli artisti provenzali era dunque la sua scelta degli elementi importanti. Un pittore come Constantin, per esempio, aveva dedicato sforzi enormi al tentativo di rispettare la scala delle proporzioni, mentre Van Gogh, sebbene fortemente interessato al raggiungimento di una «verosimiglianza», insisteva che non era certo preoccupandosi delle proporzioni che sarebbe riuscito a comunicare i dati importanti relativi al Sud. La sua arte, come ironicamente disse al fratello, comportava «una verosimiglianza diversa da quella dei prodotti del fotografo timorato di Dio». Proprio per ottenere maggiore evidenza, la parte di realtà che lo interessava richiedeva a volte la distorsione, l'omissione e la sostituzione dei colori, ma nonostante questo a contare per lui era sempre il reale – la «verosimiglianza». Pur di raggiungere un realismo più profondo egli era disposto a sacrificare il realismo naïf, come il poeta che, sebbene meno fattuale e informativo di un giornalista nel descrivere un evento, può comunque rivelare verità che nell'interpretazione letterale del giornalista non troverebbero mai posto.

Van Gogh articolava diffusamente l'idea in una lettera indirizzata al fratello nel settembre del 1888, parlando di un progetto di ritratto: «Anziché tentare di riprodurre esattamente ciò che ho davanti agli occhi, per esprimermi

201

Il percorso Van Gogh, Saint-Rémy-de-Provence

appieno uso il colore in maniera più arbitraria... Sento che devo fornirti qualche esempio. Mi piacerebbe eseguire il ritratto di un amico artista, un grande sognatore che scrive così come canta l'usignolo, poiché questa è la sua natura [si tratta di *Poeta*, dei primi del settembre 1888]. Egli sarà biondo. *Desidero mettere nel mio dipinto tutta la stima e l'amore che ho per lui* [corsivo mio]. E dunque, per cominciare, lo dipingo così com'è, con la fedeltà di cui sono capace. Ma il quadro non è ancora finito. Per terminarlo sarò il colorista arbitrario. Ne esagererò la biondezza, ricorrendo pure a toni aranciati, cromati e giallo limone pallidi. Dietro la testa, al posto della solita parete, dipingerò l'infinito, un semplice sfondo del blu più ricco e intenso che riuscirò a concepire, e grazie a questo semplice accostamento della testa chiara, luminosa, contro lo sfondo blu intenso otterrò un effetto misterioso, come quello di una stella nelle profondità di un cielo azzurro... Oh, mio caro... e le persone perbene leggeranno l'esagerazione esclusivamente come una caricatura».

Qualche settimana più tardi, Van Gogh iniziò un'altra «caricatura»: «Probabilmente stasera attaccherò con gli interni del caffè dove ceno alla luce delle lampade a gas» riferì al fratello. «È quel che si dice un 'café de nuit' (sono piuttosto comuni, da queste parti), sta aperto tutta la notte. I disperati possono venire qui se gli mancano i soldi per pagarsi un alloggio, o se hanno bevuto troppo perché li facciano entrare.» Nel dipingere quello che sarebbe diventato *Caffè di notte* Van Gogh rinunciò a particolari elementi della «realtà» in nome di altri: non riprodusse, per esempio, la giusta prospettiva o lo schema cromatico del caffè, e lasciò che le lampadine si trasformassero in funghi luminescenti, che le sedie avessero schienali arcuati e il pavimento risultasse deformato. Eppure desiderava sempre rendere un'idea veritiera del luogo, idea che forse, seguendo le regole auree dell'arte, non avrebbe potuto esprimere altrettanto efficacemente.

6

Le critiche dell'australiano si rivelarono un caso isolato nel gruppo. Quasi tutti, in preda a un nuovo e accresciuto rispetto per Van Gogh e i paesaggi che aveva dipinto, lasciammo che Sophie ci erudisse con le sue spiegazioni. Ma il mio entusiasmo personale era inficiato dal ricordo di una massima eccezionalmente secca e incisiva scritta da Pascal alcuni secoli prima del viaggio meridionale del pittore olandese:

Quale vanità è mai la pittura che suscita ammirazione per la somiglianza delle cose, di cui non si ammirano affatto gli originali.

Pensées, 40

Per quanto imbarazzante, era vero che prima di trovarmi davanti ai quadri di Van Gogh non avevo affatto ammirato la Provenza, e tuttavia come presa in giro degli amanti dell'arte la massima di Pascal rischiava di trascurare due punti importanti. Ammesso e non concesso che i pittori si limitino a riprodurre esattamente quanto hanno dinanzi agli occhi, apprezzare su tela un paesaggio che già conosciamo e non amiamo nella realtà suona decisamente assurdo e pretenzioso. Se funzionasse così, infatti, le uniche cose che ammireremmo in un dipinto sarebbero l'abilità tecnica necessaria a realizzarlo e il nome famoso dell'autore – nel qual caso potremmo facilmente concordare con la descrizione pascaliana della pittura come qualcosa di essenzialmente vano. Ma, verità ben nota a Nietzsche, i pittori non si limitano affatto a riprodurre. Semmai, essi selezionano ed evidenziano, e suscitano autentica ammirazione solo nella misura in cui la loro versione della realtà è in grado di dare risalto a caratteristiche importanti della realtà stessa.

Nulla ci costringe inoltre a tornare indifferenti nei riguardi di un luogo non appena il quadro che lo dipinge esce dal nostro campo visivo, possibilità cui Pascal sembra invece alludere. La capacità di apprezzamento può benissimo trasferirsi dall'arte al mondo e, anche se certe cose le scopriamo prima su tela, siamo liberi di gustarle anche in seguito, ritrovandoci nel luogo in cui la tela è stata dipinta. Possiamo insomma continuare a vedere i cipressi anche dopo e oltre i quadri di Van Gogh.

7

La Provenza non è l'unica regione che ho iniziato ad apprezzare e a esplorare per merito dell'arte. Mi era già capitato in Germania, dove sull'onda di *Alice nelle città*, di Wim Wenders, avevo visitato le grandi aree industriali, mentre le foto di Andreas Gursky mi avevano insegnato a guardare con interesse la pancia dei cavalcavia autostradali, e il documentario *Robinson in Space*, di Patrick Keiller, si era tradotto in una vacanza per fabbriche, vie commerciali e centri d'affari nel Sud dell'Inghilterra.

Riconoscendo che il paesaggio locale avrebbe avuto maggiori possibilità di conquistarci se lo avessimo osservato prima attraverso i quadri di un grande pittore, l'ufficio del turismo di Arles non aveva fatto altro che sfruttare il rapporto da sempre esistente tra l'arte e il desiderio di viaggiare, rapporto già esplicito in tanti altri paesi e mediato dai più vari settori della creatività.

A questo proposito la Gran Bretagna si pone come esempio antico e significativo. Molti storici sostengono infatti che la campagna inglese, scozzese e gallese sia stata trascurata fino alla seconda metà del Settecento. Per secoli luoghi come la valle del Wye, le Highlands scozzesi, il Lake District, considerati in seguito indiscutibili meraviglie naturali, sono stati ignorati, quando non addirittura disprezzati. Intorno al 1720 Daniel Defoe descrisse il Lake District come una terra «spaventosa e desolata», mentre nel suo *Journey to the Western Isles of Scotland* Samuel Johnson disse che le Highlands erano «spoglie», penosamente prive di «vegetazione decorativa», nonché «una immensa distesa irrimediabilmente sterile». E quando Boswell tentò di consolarlo facendogli notare l'imponenza di una montagna, a Glenshiel, Johnson ribatté infastidito: «No, non è altro che una grossa protuberanza».

Chi poteva permettersi di viaggiare si recava all'estero. La meta più gettonata era l'Italia, in particolare Roma, Napoli e le campagne circostanti, e probabilmente non è una coincidenza che queste stesse località comparissero tanto spesso nelle opere d'arte predilette dall'aristocrazia inglese – i poemi di Orazio e Virgilio, le tele di Claude e Poussin. La campagna romana e la costa napoletana venivano spesso dipinte all'alba o al crepuscolo, il cielo appariva solcato da vaporose nuvolette dai bordi rosa e dorati e subito lo spettatore immaginava che fosse – o che sarebbe stata – una giornata di grande caldo. Nei quadri l'aria era immota, il silenzio interrotto solo dal rinfrescante gorgoglio di un ruscello o da un rumore di remi nell'acqua. Qua e là giovani pastorelle saltellavano nei prati, o sedevano a guardare un gregge o un bimbo dai riccioli d'oro. Contemplare simili scene da una casa nella piovosa campagna inglese metteva certamente voglia di attraversare la Manica alla prima occasione buona. Come Joseph Addison osservò nel 1712: «Le Opere della Natura ci appaiono più piacevoli, quanto più esse ricordano quelle dell'Arte».

Purtroppo le opere della natura inglese dovettero attendere a lungo perché l'arte contribuisse a stabilire richiami e somiglianze significative. Nel Settecento, tuttavia, il vuoto venne gradualmente colmato e con strabiliante sincronicità gli inglesi superarono la riluttanza ormai storica a viaggiare in casa propria. Nel 1727 il poeta James Thomson pubblicò *Le stagioni*, celebrazione della vita campestre e dei paesaggi del Sud dell'Inghilterra, e il successo dell'opera contribuì a rendere popolari anche quelle di altri «poeti contadini», come Stephen Duck, Robert Burns e John Clare. Anche la pittura rivolse il proprio interesse alla campagna: Lord Shelburne commissionò a Thomas Gainsborough e a George Barrett una serie di paesaggi per la sua residenza di Bowood, nel Wiltshire, dichiarandosi intenzionato a «porre le basi per una scuola paesaggista inglese», mentre Richard Wilson si concentrava sul Tamigi nei pressi di Twickenham, Thomas Hearne sul Goodrich Castle, Philip James de Loutherbourg sull'abbazia di Tintern e Thomas Smith su Derwentwater e Windermere.

Questo processo fu seguito da un'immediata e parallela esplosione del turismo locale. Per la prima volta la valle del Wye si riempì di visitatori inglesi, così come i monti del Galles del Nord, il Lake District e le Highlands scozzesi: storia che pare confermare in tutto e per tutto la teoria secondo cui tendiamo a cercare angoli particolari di mondo solo dopo che qualcuno li ha già immortalati o descritti per noi.

Naturalmente si tratta di una teoria esagerata, così esagerata da arrivare a suggerire che nessuno a Londra si fosse mai accorto della nebbia prima di Whistler, o dei cipressi in Provenza prima di Van Gogh. L'arte da sola non basta a creare entusiasmi, né nasce da sentimenti di cui i non artisti siano privi: semmai contribuisce ad alimentare le passioni e ad aumentare la nostra consapevolezza di emozioni che fino a un certo momento possiamo aver vissuto in maniera superficiale o affrettata.

Quanto basta comunque – cosa che l'ufficio del turismo di Arles sembrava aver ben compreso – a influenzare la nostra scelta per le vacanze dell'anno prossimo.

Vincent van Gogh, *Tramonto: campi di grano vicino ad Arles*, 1888

VIII

SUL POSSEDERE LA BELLEZZA

*Il Lake
District*

Luoghi	*Madrid*	*Amsterdam*	*Barbados*	*La zona dei dock di Londra*

Guida	*John Ruskin*

1

Tra i tanti luoghi che visitiamo senza guardarli veramente o provando solo indifferenza, ne spiccano alcuni dotati di una forza così particolare da costringerci a fermarci per osservarli meglio. Questi luoghi possiedono ciò che potremmo approssimativamente definire bellezza. Non sono posti graziosi, né dotati di qualità che normalmente le guide turistiche associano all'idea di bellezza tradizionale. In questi casi particolari, infatti, dire che un posto è bello è solo un altro modo per dire che ci piace.

Di simile bellezza ne ho incontrata in tutti i miei viaggi. A Madrid, per esempio, a un paio di isolati dal mio albergo, tra alcuni condomini e una stazione di rifornimento arancione con annesso autolavaggio, si apriva un lotto di terreno incolto. Da lì una sera, nell'oscurità, tra i balconi delle case vidi serpeggiare a pochi metri dal tetto della stazione un lungo treno aerodinamico e semivuoto. Col buio che inghiottiva i binari sembrava quasi fluttuare nell'aria, portento tecnologico reso ancor più strabiliante dalla forma avveniristica e dalla luce verdognola e spettrale che filtrava dai finestrini dei vagoni. Nei condomini la gente guardava la tivù o si affaccendava in cucina, mentre i pochi passeggeri del treno fissavano la città o leggevano il giornale, all'inizio di un viaggio per Cordova o Siviglia che si sarebbe concluso ben dopo la fine delle trasmissioni televisive o dei cicli di lavaggio delle lavastoviglie. Viaggiatori e residenti non prestavano attenzione gli uni agli altri; le loro esistenze correvano parallele, destinate a non incontrarsi se non per un breve istante, nella retina di un osservatore occasionale uscito per sfuggire alla tristezza di una camera d'albergo.

Ad Amsterdam, invece, in un cortiletto dietro un portone

213

di legno scoprii un vecchio muro che, nonostante il vento gelido che spirava dai canali, si era lentamente intiepidito al fragile sole d'inizio primavera. Sfilai le mani dalle tasche e accarezzai la scabra superficie butterata di quei mattoni in apparenza leggeri e friabili, desiderando quasi baciarli per apprezzarne meglio la consistenza simile alla pomice o a una mattonella di *halwa* in un negozio di gastronomia libanese. Sulla costa orientale di Barbados mi ero fermato a contemplare la scura distesa violetta del mare che si spalancava senza interruzioni fino all'Africa. L'isola mi era improvvisamente parsa piccola e vulnerabile, la sua teatrale vegetazione di alberi intricati e di fiori di un rosa intenso una commovente protesta contro la sobria monotonia dell'oceano. E nel Lake District ero rimasto colpito dalla visione di un'alba dietro i vetri della nostra camera al Mortal Man: colline di morbida roccia siluriana coperte da un delicato tappeto d'erba verde su cui aleggiava una bassa foschia. Le colline apparivano ondulate come il dorso di un gigantesco animale addormentato, in procinto di svegliarsi da un momento all'altro e di levarsi in tutta la sua vertiginosa altezza per scuotersi di dosso boschi e filari di querce come altrettanti batuffoli di lanugine impigliati nel suo verde manto di feltro.

2

Al cospetto della bellezza veniamo innanzitutto colti dall'impulso di afferrarla e possederla per darle maggiore spazio nella nostra vita. È come se volessimo disperatamente dire: « Sono stato qui, ho visto tutto questo ed è stata un'esperienza fondamentale per me ».

Ma la bellezza è sfuggente, e spesso la incontriamo in luoghi dove non torneremo mai, oppure è frutto di rare combinazioni di stagione, luce e meteorologia. Come arrivare a possederla, dunque? Come aggrapparsi al treno in fuga, ai mattoni di *halwa*, al manto verde di una vallata inglese?

La macchina fotografica potrebbe essere una soluzione. Scattare fotografie può placare la sete di possesso accesa in noi dalla bellezza di un luogo, e così a ogni clic dell'otturatore sentiamo scemare l'ansia di perdere per sempre una scena preziosa. Un'altra possibilità è scolpirci fisicamente in un luogo di bellezza, nella speranza di renderlo più presente in noi rendendoci in realtà più presenti noi in esso. Ad Alessandria d'Egitto potremmo per esempio incidere il nostro nome nel granito della Colonna di Pompeo, così come fece Thompson di Sunderland, amico di Flaubert («Impossibile guardare la Colonna senza vedere anche il nome di Thompson e, per conseguenza, senza pensare a Thompson. Questo cretino è diventato parte integrante del monumento, e con esso si perpetua... Tutti gli imbecilli sono in varia misura dei Thompson di Sunderland»). Un'iniziativa più modesta potrebbe invece esser quella di acquistare un oggetto – una ciotola, una scatoletta laccata, un paio di sandali (al Cairo Flaubert comprò tre tappeti) – in grado di ricordarci quanto abbiamo perduto, come una ciocca di capelli recisa dalla criniera dell'amante in partenza.

3

John Ruskin nacque a Londra nel febbraio del 1819, e una parte cruciale del suo lavoro ruotò proprio intorno alla questione del possesso della bellezza dei luoghi.

Fin da piccolissimo mostrò un'insolita sensibilità verso i tratti più minuti del mondo delle immagini, e infatti a tre o quattro anni «ero capace di trascorrere le giornate percorrendo i riquadri e confrontando i colori del mio tappeto – studiando i nodi del legno del pavimento, o contando i mattoni delle case dirimpetto in preda ad attacchi di estatico piacere». I genitori incoraggiarono la sua sensibilità innata e la madre lo avvicinò alla natura, mentre il padre, un ricco importatore di sherry, gli leggeva i classici ogni giorno dopo

215

il tè e lo portava al museo tutti i sabati. In occasione delle vacanze estive, la famiglia visitava le isole britanniche e i paesi europei, non per svago o come diversivo, ma in cerca di una bellezza che ritrovava soprattutto nei paesaggi alpini e nelle città medievali della Francia del Nord e dell'Italia, in particolare ad Amiens e a Venezia. Si spostavano con calma a bordo di un carro, senza mai percorrere più di una settantina di chilometri al giorno e fermandosi spesso ad ammirare il panorama – un modo di viaggiare che Ruskin avrebbe continuato a praticare per tutta la vita.

Partendo dunque dall'interesse per la bellezza e il tema del suo possesso, egli pervenne a cinque conclusioni fondamentali: primo, che la bellezza è il risultato di un complesso numero di fattori in grado di condizionare la mente a livello psicologico e visivo. Secondo, che gli esseri umani hanno una tendenza innata a reagire alla bellezza con il desiderio di possederla. Terzo, che esistono molte espressioni di basso livello di questo medesimo desiderio, compresa la voglia di acquistare souvenir e tappeti, di incidere il proprio nome su antiche colonne romane e di scattare interi rullini di foto. Quarto, che esiste un solo modo giusto di possedere la bellezza, e cioè *capirla* per mezzo della consapevolezza dei fattori (psicologici e visivi) che concorrono a crearla. E, quinto e ultimo punto, che il modo più efficace per giungere a una comprensione cosciente della bellezza passa per il tentativo – indipendente dal nostro talento – di descriverla attraverso la pittura e la scrittura.

4

Tra il 1856 e il 1860, quando l'agenzia Thomas Cook iniziò a condurre i primi gruppi di turisti inglesi sulle Alpi svizzere, l'interesse intellettuale primario di Ruskin fu quello di insegnare alla gente a disegnare. «L'arte del disegno, per la razza umana d'importanza reale superiore alla scrittura e degna perciò d'essere insieme a questa insegnata ai bambini, è stata trascurata e vilipesa al punto che su mille uomini, siano pure essi maestri dichiarati in materia, non ve n'è uno che ne conosca i principi fondamentali.» Per rimediare almeno in parte al danno, Ruskin pubblicò due studi, uno sul disegno, nel 1857, e uno sulla prospettiva, nel 1859, e tenne una serie di lezioni al Working Men's College di Londra, dove istruì gli studenti – quasi tutti artigiani purosangue – nei campi dell'ombreggiatura e del colore, della proporzione, della prospettiva e dell'inquadratura. Le lezioni furono frequentatissime, i suoi libri un successo di pubblico e di critica, e tutto questo rafforzò in Ruskin la convinzione che il disegno non fosse un'arte riservata a pochi: «Chiunque lo desideri può scoprirsi dotato quanto basta per imparare a disegnare in maniera decorosa, così come quasi tutti possiedono la capacità necessaria ad apprendere in maniera utile e dignitosa il francese, il latino o l'aritmetica».

Ma a che pro imparare a disegnare? Per Ruskin la questione non aveva nulla a che vedere con la bravura o le ambizioni artistiche. «Un uomo nasce artista così come un ippopotamo nasce ippopotamo» sosteneva, «e artisti non si può *diventare*, così come non possiamo diventare giraffe.» Dunque non gli importava affatto se i suoi studenti dell'East End uscivano dalle sue lezioni incapaci di produrre qualcosa che si potesse esporre in una galleria: «I miei sforzi non puntano a fare di un carpentiere un artista, ma a renderlo più felice come carpentiere» dichiarò nel 1857 davanti a una Commissione Reale sul disegno. Lui stesso, ammetteva, era ben lungi dall'essere un artista di talento. «In vita mia non ho mai visto disegni di bambini così poco originali o efficaci nella memoria» diceva della propria produzione artistica infantile. «Non ero capace di raffigurare un bel niente, né un gatto, né un topo, né una barca o un pennello.»

Se per Ruskin il disegno aveva dunque valore a prescindere dal talento del singolo individuo, era perché imparare a disegnare significava imparare a vedere: a notare davvero anziché a guardare e basta. Nel processo di ricostruzione personale di ciò che abbiamo davanti agli occhi sembriamo infatti migrare naturalmente da una posizione in cui stiamo solo osservando la bellezza, a una in cui acquistiamo una comprensione profonda, e dunque una memoria più salda, delle sue parti costitutive. Così un commerciante che aveva frequentato il Working Men's College riportò ciò che Ruskin aveva detto alla classe al termine del corso: «E ora, cari signori, tenete bene a mente che io non ho mai cercato di insegnarvi a disegnare, ma solo a *vedere*. Due tizi attraversano il Clare Market: uno ne esce uguale a quando era entrato, l'altro invece nota un ciuffo di prezzemolo che penzola dalla cesta di una venditrice di burro e porta via con sé immagini di bellezza che per molto tempo incorporerà nel suo lavoro quotidiano. Ecco, io desidero che voi vediate cose come queste».

Ruskin era assai turbato dalla difficoltà con cui la gente si accorgeva dei dettagli, e deplorava la cecità e la fretta dei turisti moderni, specialmente quelli che andavano fieri di aver attraversato tutta l'Europa in treno in una sola settimana (servizio offerto per la prima volta nel 1862 dalla Thomas Cook): «Nessuno spostamento a centocinquanta chilometri l'ora ci renderà di un solo briciolo più forti, più felici o più saggi. Nel mondo sono sempre esistite più cose di quante gli uomini riuscissero a vedere, per quanto lentamente essi camminassero, e certo non le vedranno meglio andando più veloci. A contare realmente sono la vista e il pensiero, non la velocità. La corsa rapida non giova al proiettile; e il passo lento non nuoce di sicuro all'uomo, poiché, se è veramente tale, la sua gloria non starà nell'andare, ma nell'essere».

Per comprendere meglio quanto sia grande la nostra abitudine alla disattenzione, immaginiamo cosa penserebbe di noi la gente se ci vedesse fermi a osservare un oggetto o un luogo per il tempo teoricamente necessario a disegnarlo:

come minimo che siamo strani, magari anche un po' pericolosi. Per disegnare un albero occorrono almeno dieci minuti di concentrazione totale, eppure anche davanti al più bello degli esemplari raramente ci tratteniamo più di un minuto. Ruskin scorgeva un nesso tra il desiderio di viaggiare più veloci e più lontano e un'incapacità di fondo di trarre il dovuto piacere da qualunque luogo e, per estensione, da dettagli quali un ciuffo di prezzemolo che sporge da una cesta della spesa. In un momento di particolare frustrazione nei confronti dell'industria turistica, nel 1864, così arringò un pubblico di ricchi imprenditori di Manchester: «L'*unico* piacere che concepite è quello di un viaggio in treno. Avete piazzato un ponte ferroviario sulle cascate di Schaffhausen, avete scavato gallerie nei monti di Lucerna, vicino alla cappella di Tell, avete distrutto la riva del lago di Ginevra a Clarens, in Inghilterra non esiste valle tranquilla che non abbiate riempito di fumo, né esiste città straniera in cui la vostra presenza non sia accompagnata da una perniciosa lebbra di nuovi alberghi. Considerate le Alpi alla stregua di pali insaponati in una fiera, pali che voi stessi avete piantato per arrampicarvici e lasciarvici scivolare con 'gridolini di piacere'».

Toni isterici, indubbiamente, e tuttavia il dilemma era autentico. La tecnologia può mettere la bellezza alla portata degli uomini, ma non semplifica affatto il processo che ci porta ad apprezzarla e possederla.

Cosa c'è allora di sbagliato nella macchina fotografica? Niente, pensò Ruskin sulle prime. «Insieme a tutti i veleni meccanici che questo tremendo diciannovesimo secolo ha riversato sulle nostre teste, ci ha fornito almeno *un* antidoto» scriveva a proposito dell'invenzione di Louis-Jacques Mandé del 1839. E sei anni più tardi, a Venezia, ricorse personalmente e con soddisfazione al dagherrotipo. «I dagherrotipi impressionati in questa intensa luce solare sono cose magnifiche» riferiva in una lettera al padre. «È quasi come ricostruire il palazzo, con tutte le sue macchie e le sue

John Ruskin, *Studio di una piuma pettorale di pavone*, 1873

scheggiature, solo che qui, naturalmente, non c'è pericolo di sbagliare le proporzioni.» L'entusiasmo di Ruskin scemò quando si accorse della diabolica conseguenza in cui incorreva la maggior parte di coloro che scattavano foto. Anziché usare la fotografia come supplemento alla vista attiva e consapevole, infatti, essi la usavano come alternativa, finendo così, in virtù della fede nel possesso della bellezza garantito dalla tecnica, per prestare ancora meno attenzione al mondo di quanto avessero fatto in precedenza.

Una volta, cercando di spiegare il proprio amore per il disegno (era raro che facesse un viaggio senza buttar giù qualche schizzo), Ruskin dichiarò che quella passione non nasceva dal desiderio «di reputazione, di fare il bene degli altri o il mio, ma da una sorta di istinto *simile a quello di bere e mangiare*». Ciò che effettivamente unisce le tre attività è l'assimilazione da parte del soggetto di elementi del mondo considerati desiderabili, e dunque il passaggio di bontà dall'esterno verso l'interno. Irresistibilmente attratto dall'erba, Ruskin l'aveva spesso assaggiata, da bambino, per poi arrivare a scoprire che forse era meglio limitarsi a disegnarla: «Mi sdraiavo a disegnare i fili che crescevano, finché ogni centimetro quadrato di prato o di riva di fiume diventava un mio *possesso* [corsivo mio]».

Ma la fotografia da sola non può sostituire un simile banchetto. Arrivare a possedere veramente una visione significa compiere uno sforzo consapevole per notare gli elementi e la struttura che la compongono. Per vedere un po' di bellezza non abbiamo che da aprire gli occhi, ma la durata di questa bellezza nel nostro ricordo dipende dall'intenzionalità con cui le siamo andati incontro. La macchina fotografica confonde la differenza che c'è tra vedere e notare, tra vedere e possedere, e se da un lato è un ineguagliabile strumento di conoscenza, dall'altro rischia, per assurdo, di far apparire superfluo lo sforzo di acquisizione della conoscenza stessa. La macchina fotografica infatti ci porta a credere di aver fatto il nostro lavoro con un semplice clic, mentre per cibarci davvero di un luogo, per esempio un terreno boscoso, dobbiamo porci domande quali «In che modo steli e fusto sono collegati alle radici?», «Da dove viene la foschia?», «Perché un albero sembra più scuro di un altro?» – domande implicitamente sollevate ed evase nel momento in cui si realizza uno schizzo per un disegno.

5

Incoraggiato dalla democratica idea di disegno di Ruskin, decisi che in viaggio mi sarei dato da fare anch'io con carta e matita. Quanto alla scelta dei soggetti, pensai che avrei assecondato lo stesso desiderio di possesso della bellezza che in altri momenti aveva guidato la mia mano verso la macchina fotografica. Per dirla con Ruskin: «La vostra arte dev'essere una lode di ciò che vi piace, quindi anche solo la lode di una conchiglia o di un sasso».

Provai così a disegnare la finestra della stanza al Mortal Man: era a portata di mano e, in quel luminoso mattino d'autunno, mi sembrava molto bella. Il risultato fu un disastro tanto prevedibile quanto istruttivo. Disegnare un oggetto, per quanto male, ci sposta di colpo dalla percezione della sua esteriorità alla coscienza puntuale delle parti che lo compongono. «Una finestra» può dunque rivelarsi di colpo un insieme di cornici che tengono fermi dei vetri, un complesso sistema di tacche e di denti (quella della locanda era in stile georgiano), un concerto di dodici pannelli apparentemente quadrati e in verità lievemente ma indubbiamente rettangolari, una superficie di vernice bianca che è in realtà grigio cenere, grigio marrone, giallastra, malva rosato e verdino pallido, a seconda della luce e del rapporto che si crea tra questa luce e le condizioni del legno (nell'angolo nord-ovest della finestra, una traccia di umidità conferiva alla cornice una netta sfumatura rosa). E nemmeno il vetro è perfettamente trasparente, ma contiene minute imperfezioni, piccolissime bolle d'aria simili a quelle delle bevande gassate, mentre, per quanto riguarda la sua superficie, nel mio caso era segnata da gocce di pioggia ormai asciutte e da impazienti colpi di straccio.

Il disegno abborracciato evidenzia la nostra cecità di fronte al vero aspetto delle cose. Prendiamo ad esempio gli alberi. In un passaggio di *Elementi del disegno* John Ruskin, con l'aiuto delle sue illustrazioni, analizzava la differenza tra come solitamente immaginiamo che i rami siano prima di disegnarli, e come essi si dimostrano in realtà dopo che li abbiamo osservati armati di blocco e matita. «Il fusto non si limita a gettare qui e là rami casuali, ma l'insieme di essi è frutto di un unico, grandioso impulso a fontana. Ciò significa che l'albero generico non è come in 1*a*, bensì come in 1*b*, dove tutti i rami spingono le proprie sottoramificazioni fino al limite della curvatura della chioma. E che il tipo di singolo ramo separato non è come in 2*a*, bensì come in 2*b*, vale a dire simile alla struttura di una pianta di broccolo.»

1*a*   1*b*   2*a*   2*b*

John Ruskin, rami, da *The Elements of Drawing*, 1857

In vita mia avevo visto molte querce, ma solo dopo aver trascorso un'ora nella valle di Langdale cercando di disegnarne una (con un risultato di cui si vergognerebbe anche un neonato) cominciai ad apprezzare davvero, e a ricordare, la loro particolare identità.

6

Un altro beneficio derivante dal disegno è la comprensione cosciente delle ragioni per cui ci sentiamo attratti da particolari architetture e paesaggi. Attraverso il disegno scopriamo cosa motiva i nostri gusti e sviluppiamo la nostra «estetica», la capacità cioè di esprimere giudizi in materia di bello e di brutto. Siamo in grado di determinare con maggior precisione cosa manca a un certo edificio che non ci piace, e cosa contribuisce a rendere gradevole quello che troviamo bello. Riusciamo ad analizzare più rapidamente una scena che ci tocca e a individuarne i punti di forza («la combinazione di pietra calcarea e sole pomeridiano», «il modo in cui gli alberi digradano verso il fiume»). Passiamo da un vago «mi piace» a un «questo mi piace perché...», tornando poi a generalizzare con più cognizione di causa. Per quanto inesperti, cominciamo a ragionare sulle leggi del bello: è meglio che la luce colpisca gli oggetti di lato che non dall'alto, il grigio sta bene con il verde, perché una via risulti spaziosa occorre che le case non superino in altezza la sua larghezza.

Su questa stessa consapevolezza poggeranno poi ricordi più solidi, e l'idea di incidere il nostro nome sulla Colonna di Pompeo inizierà ad apparirci meno giustificata. Per dirla con Ruskin, disegnare ci permette di «salvare l'evanescenza della nuvola, il tremolio della foglia, la mutevolezza delle ombre».

Per riassumere gli obiettivi racchiusi in quattro anni di insegnamento e di stesura di manuali tecnici, egli spiegò di essersi sentito mosso dal desiderio di «indirizzare l'attenzione delle persone verso la bellezza dell'opera divina nell'universo materiale». Vale dunque la pena di citare per esteso un passaggio dedicato alle implicazioni concrete di questa strana ambizione: «Prendiamo due individui che escano a fare una passeggiata; il primo un buon disegnatore, il secondo privo di qualsivoglia interesse nel campo. Seguiamoli lungo un viottolo di campagna. La stessa scena verrà da essi percepita in maniera assai diversa. L'uno vedrà un sentiero e degli alberi; gli

224

John Ruskin, « *Velvet crab», granchio australiano*, 1870-71 ca.

alberi gli appariranno verdi, senza che ciò desti in lui pensieri particolari; vedrà che c'è il sole, e che il suo effetto è gioioso, ma niente di più! Cosa vedrà, invece, il disegnatore? Il suo occhio è abituato a indagare le cause della bellezza e a penetrare le sue componenti più minute. Leverà lo sguardo e osserverà la doccia di singoli raggi di sole che scende tra le foglie lucenti riempiendo l'aria di una luminosità smeraldina. Qua e là noterà un ramo che spunta dal fitto fogliame, la brillantezza cristallina dei muschi verde smeraldo e dei fantastici e variegati licheni, bianchi e azzurrini, viola e rossi, tutti sfumati e mescolati in un unico manto di bellezza. Poi verranno i tronchi cavernosi e le radici contorte, abbarbicate con spire serpentine alla scarpata ripida ed erbosa, intessuta di fiori dai mille colori. Non vale forse la pena di vedere tutto ciò? Eppure, a non saper disegnare si rischia di percorrere un simile sentiero di campagna e di tornare a casa senza aver nulla di particolare da dire o a cui ripensare, a parte che siete usciti e avete fatto una passeggiata per questa o quella strada».

7

Ma Ruskin non si limitava a incoraggiarci a disegnare durante i nostri spostamenti: egli sentiva anche che dovevamo scrivere, o, come diceva lui, «dipingere a parole» per cementare le nostre impressioni. E, nonostante il successo dei suoi disegni, furono proprio i suoi dipinti a parole a catturare la fantasia del pubblico e a rinsaldare la sua fama nel periodo tardo-vittoriano.

In genere sono i posti più belli a farci sentire quanto inadeguata sia la lingua sul piano espressivo. In preda a una sorta di fretta e disperazione, nel Lake District scrissi una cartolina a un amico dicendo che il panorama era grazioso e il tempo umido e ventoso. Ruskin avrebbe addebitato una prosa simile più alla pigrizia che non all'incompetenza: secondo lui eravamo infatti tutti capaci di produrre adeguati dipinti a parole. Se fallivamo nell'impresa, era perché non ci ponevamo sufficienti domande e non eravamo abbastanza precisi nell'analizzare ciò che avevamo visto e provato. Anziché accontentarci dell'idea che un certo laghetto era grazioso, avremmo dovuto chiederci con ben maggior energia: «Cosa ci piace in particolare di questa distesa d'acqua? Quali associazioni ci evoca? Come potremmo definirla con un termine più appropriato di 'grande'?» Il prodotto finito poteva ovviamente mancare ancora di genio, ma se non altro sarebbe stato frutto di una ricerca della rappresentazione autentica di un'esperienza.

Per tutta la vita adulta Ruskin fu frustrato dal rifiuto dei suoi cortesi ed educati connazionali di parlare del tempo in maniera profonda, e ancor più dalla loro tendenza a liquidarlo come umido e ventoso. «È davvero strano quanto poco la gente conosca il cielo. Non ce ne occupiamo mai, non lo trasformiamo mai in oggetto di seria riflessione, lo consideriamo solo una successione di casualità insignificanti e monotone, troppo banali e vane per meritare uno sguardo ammirato o qualche istante di concentrazione. E quando, nei momenti di massimo ozio e insulsaggine, ci rivolgiamo ad esso come a un'ultima risorsa, di quali fenomeni parliamo? Uno dice che è umido, l'altro che c'è vento, l'altro ancora che fa caldo. Tra tante chiacchiere, riesce qualcuno a parlarmi dei profili e dei precipizi dei monti alti e bianchi che a mezzodì si affollavano al nostro orizzonte? Qualcuno ha visto l'esile raggio di sole sbucato da sud a illuminarne le cime, sino a scioglierle e a sgretolarle in una polvere di pioggia azzurrina? Qualcuno ha notato la danza delle nuvole morte quando ieri sera il sole le ha abbandonate e il vento dell'ovest è giunto a sparpagliarle come foglie secche?»

La risposta era, naturalmente, Ruskin stesso, che in un'altra analogia tra arte e alimentazione si vantava di saper imbottigliare i cieli con la stessa abilità con cui suo padre commerciante imbottigliava lo sherry. Nell'autunno del 1857 troviamo due pagine di diario dedicate a questa attività:

Nuvole, stampa di J.C. Armytage, da un disegno di J.M.W. Turner
in *Modern Painters*, di John Ruskin, vol. v, 1860

1° novembre: Mattinata vermiglia, tutta ondate di delicato rosso scarlatto, più intenso ai bordi e che sfumava nel porpora. Grigi lembi di nuvole basse, lentamente sospinte dal vento di sud-ovest, montagne di cumuli grigi – tra i lembi e i cirri – all'orizzonte. Ne è venuta una giornata splendida... Porpora e azzurra in distanza e opaca di sole sugli alberi vicini, sul verde dei campi... Notare l'effetto squisito delle foglie dorate sparse nel cielo blu, e l'ippocastano, piccolo e sottile, scuro contro simili stelle.

3 novembre: Alba porpora, timida, delicata. Banchi di nuvole grigie, pesanti verso le sei. Poi la nuvola illuminata e porpora che trapela dietro di esse, più in alto il cielo aperto giallo chiaro – lembi di basse nuvole grigie e più scure che lo attraversano di sbieco, da sud-ovest – veloci, ma senza scomporsi, sino a svanire. Il tutto si espande in un cielo di scaglie di luce ottone su grigio – e muta in mattinata grigia.

8

L'efficacia della pittura a parole di Ruskin dipendeva dal fatto che non si limitava a descrivere l'aspetto dei luoghi e delle cose («l'erba verde, la terra marrone grigiastro»), ma ne analizzava la forza per mezzo di un linguaggio psicologico («l'erba *esuberante*, la terra *timida*»). Egli capì che la bellezza di molti luoghi ci colpisce non per considerazioni di ordine estetico – perché i colori si sposano bene, o per una buona simmetria e un buon senso della proporzione – ma sulla base di criteri psicologici, perché incarna un valore o uno stato d'animo per noi importante.

Un mattino, a Londra, si ritrovò a osservare alcuni cumuli dalla finestra di casa. Una descrizione fattuale avrebbe potuto dire che formavano un muro quasi completamente bianco e compatto, con qualche rientranza da cui filtrava un po' di sole. Invece Ruskin affrontò la questione in maniera più psicologica: «Veri cumuli: tra tutte, le nuvole più maestose... per la maggior parte immobili; lo spostamento della loro massa è *solenne*, continuo, *inesplicabile*, un'avanzata o una ritirata inesorabile, quasi fossero *animati* da una *volontà interiore*, o costretti da una forza invisibile [corsivi miei]».

E, sulle Alpi, descrisse i pini e le rocce in termini analogamente psicologici: «Non mi riesce mai di sostare a lungo sotto un picco alpino senza provare soggezione, lo sguardo rivolto ai pini, ritti sulle sporgenze inaccessibili e sui pericolosi cornicioni di una parete smisurata, in gruppi silenziosi, l'uno ombra dell'altro – fermi, verticali, *muti* e *diffidenti*. Impossibile raggiungerli, impossibile gridare loro qualcosa; questi alberi non hanno mai *udito* voce umana; tutti al di sopra del suono, tranne quello dei venti. Nessun piede ha mai calpestato le loro foglie cadute. Resistono senza *conforto* alcuno, eppur con tale *ferrea volontà* che accanto a loro le stesse rocce paiono chine e sconfitte – *fragili, deboli, insicure* al confronto di quella scura energia di *vita delicata* e di tale *monotonia d'orgoglio incantato*».

Per mezzo di siffatte descrizioni sembriamo avvicinarci un po' alla risposta sul perché un dato luogo ci ha colpiti, e così facendo ci avviciniamo anche all'obiettivo ruskiniano di capire in maniera più consapevole cosa ci è piaciuto.

9

Difficile indovinare che il tizio parcheggiato lungo il marciapiede dirimpetto a un grande complesso di uffici stava dipingendo a parole. Unico indizio il bloc-notes appoggiato sul volante, su cui ogni tanto, tra una lunga pausa d'osservazione e l'altra, scribacchiava qualcosa.

Erano le undici e mezzo di sera e da diverse ore mi aggiravo in macchina per i dock di Londra. Mi ero fermato solo per bere un caffè all'aeroporto di London City (dove con invidia avevo guardato l'ultimo apparecchio, un Crossair Avro RJ85, decollare per Zurigo – o per il baudelairiano

«Non importa dove!») e tornando a casa mi ero imbattuto nelle torri gigantesche e sfavillanti del West India dock. Quel complesso non sembrava aver molto a che fare con il paesaggio circostante di case modeste e fiocamente illuminate, e sarebbe risultato molto più appropriato sulle rive dell'Hudson o accanto allo space shuttle di Cape Canaveral. Dalla cima di due torri adiacenti si levavano vapori e sull'intera zona era stata passata una mano di nebbia uniforme ma leggera. A quasi tutti i piani le luci erano ancora accese e anche da una certa distanza si intravedevano computer, sale riunioni, piante in vaso e lavagne di carta.

Trovai la scena bella, e insieme all'impressione di bellezza avvertii il desiderio di possederne la fonte – un desiderio che, stando alle indicazioni di Ruskin, solo l'arte avrebbe potuto soddisfare. Fu così che decisi di eseguire un dipinto a parole. I dati descrittivi erano già tutti lì: uffici alti, la sommità di una torre simile a una piramide, luci laterali rosso rubino, il cielo non nero ma di un giallo aranciato. Visto però che l'approccio fattuale non sembrava aiutarmi in alcun modo a cogliere il perché del fascino di quella scena, provai ad analizzarne la bellezza in termini più psicologici. La forza della scena stava tutta nell'effetto della notte e della nebbia sui grattacieli. La prima attirava l'attenzione su particolari altrimenti nascosti di giorno: sotto il sole gli uffici apparivano normali e ogni curiosità rimbalzava lontana, come gli sguardi rimbalzavano contro i loro vetri a specchio. La notte, invece, annullava le pretese di normalità e consentiva alla vista di penetrare nelle stanze per stupirsi della loro stranezza, della loro spaventosità, della loro meraviglia. Quegli uffici incarnavano l'idea di ordine e collaborazione tra migliaia di individui, veicolando al contempo un senso di tedio e irreggimentazione. La notte giungeva a minare, o quanto meno a contestare, la visione burocratica della serietà. Nel buio veniva spontaneo chiedersi a cosa servissero tutti quei computer e quelle lavagne di carta; non che fossero ridondanti, ma di certo potevano

231

John Ruskin, *Vette alpine*, 1846?

risultare più dubbi e inconsueti di quanto la luce del giorno non lasciasse intuire. Contemporaneamente la nebbia conferiva al paesaggio un tocco nostalgico. Così come certi odori, le notti di nebbia hanno infatti il potere di trasportarci indietro nel tempo, e io mi ritrovai all'epoca dell'università, quando la sera rincasavo da solo, a piedi, costeggiando campi sportivi illuminati. Pensai a quanto era diversa la mia vita di adesso dalla mia vita di allora, e da questo pensiero nacque una tristezza dolceamara legata alle difficoltà del passato, e alle cose preziose andate perdute. La macchina si era riempita di fogli di carta. Il livello della mia pittura a parole non era di molto superiore all'abilità pressoché infantile dimostrata nel disegnare le querce della valle di Langdale. Tuttavia, la qualità non era il punto. Almeno così avevo cercato di seguire un capo del filo che secondo Ruskin costituiva il doppio obiettivo dell'arte: dare un senso alla sofferenza e sondare le origini della bellezza.

Quando alcuni allievi gli sottoposero dei disegni malriusciti prodotti nel corso di altrettanti viaggi nella campagna inglese, egli stesso precisò: «Credo che la vista sia cosa più importante del disegno; e preferisco insegnare ai miei studenti un disegno da cui possano imparare ad amare la natura, che non un modo di guardare la natura da cui possano imparare a disegnare».

RITORNO

IX

SULL'ABITUDINE

Luogo	*Hammersmith* *Londra*
Guida	*Xavier* *de Maistre*

1

Tornai a Londra dal mio viaggio a Barbados solo per
scoprire che la città si era ostinatamente rifiutata di cambiare. Avevo visto cieli azzurri e giganteschi anemoni di
mare, avevo dormito in un bungalow di fronde e mangiato
uno sgombro re, avevo nuotato accanto a piccoli di tarta-
ruga e avevo letto all'ombra di palme da cocco. Ma la mia
città non ne era affatto colpita. Qui continuava a piovere.
Il parco era sempre una distesa di acqua e fango, il cielo
un drappo funebre. Col bel tempo e il buon umore si è
tentati di stabilire nessi tra quanto accade dentro e fuori di
noi, ma l'aspetto di Londra al mio ritorno mi fece pensare
solo all'indifferenza del mondo nei confronti di qualunque
accadimento tocchi le vite dei suoi abitanti. L'idea di essere di nuovo a casa mi trasmetteva unicamente disperazione. Ero convinto che sulla terra esistessero pochi luoghi
peggiori di quello in cui il fato mi aveva condannato a
vivere.

2

... tutta l'infelicità degli uomini viene da una sola cosa, di non
saper starsene in riposo in una stanza.

Pascal, *Pensées*, 136

3

Dal 1799 al 1804 Alexander von Humboldt esplorò il continente sudamericano, e in seguito intitolò la cronaca delle

239

sue imprese *Viaggio alle regioni equinoziali del Nuovo Continente*.

Nove anni prima, nella primavera del 1790, un ventisettenne francese di nome Xavier de Maistre aveva intrapreso un viaggio esplorativo nella propria stanza, per intitolare poi la cronaca della sua impresa *Viaggio intorno alla mia camera*. Uscito soddisfatto dall'esperienza, nel 1798 l'autore aveva quindi deciso di intraprendere un secondo viaggio, stavolta di notte, spingendosi fino al davanzale della finestra e intitolando il resoconto delle sue avventure *Spedizione notturna intorno alla mia camera*.

Ecco qui due diversi approcci al viaggio: *Viaggio alle regioni equinoziali del Nuovo Continente* e *Viaggio intorno alla mia camera*. Per il primo erano serviti dieci muli, trenta colli di bagaglio, quattro interpreti, un cronometro, un sestante, due telescopi, un teodolite Borda, un barometro, una bussola, un igrometro, alcune lettere di presentazione del re di Spagna e un fucile. Per il secondo, un pigiama di cotone rosa e azzurro.

Xavier de Maistre nacque nel 1763 nella pittoresca cittadina di Chambéry, ai piedi delle Alpi francesi. Romantico e passionale, egli amava la lettura – in particolare Montaigne, Pascal e Rousseau – e la pittura – soprattutto scene olandesi e francesi di vita domestica. A ventitré anni rimase affascinato dall'aeronautica. Tre anni prima Etienne Montgolfier aveva ottenuto fama internazionale costruendo un pallone che per otto minuti aveva sorvolato la reggia di Versailles con i suoi tre passeggeri: una pecora di nome Montauciel (Va'-in-cielo), una papera e un gallo. De Maistre e un amico costruirono così un paio di gigantesche ali di carta e fil di ferro con cui volare in America, ma purtroppo l'impresa fallì. Due anni dopo, De Maistre riuscì comunque ad assicurarsi un posto su una mongolfiera e riuscì finalmente a galleggiare per qualche istante nell'aria sopra Chambéry, prima che la macchina volante si schiantasse su una foresta di pini.

Nel 1790, mentre viveva in un modesto alloggio all'ultimo

piano di un palazzo torinese, De Maistre divenne pioniere di un nuovo tipo di viaggio che lo avrebbe infine reso famoso: il viaggio nella camera da letto.

Nella prefazione a *Viaggio intorno alla mia camera*, il fratello di Xavier, Joseph de Maistre, sottolineava che non era stata intenzione dell'autore denigrare le gesta eroiche dei grandi viaggiatori del passato: «Magellano, Drake, Anson e Cook».

Magellano aveva scoperto una rotta occidentale per raggiungere le Isole delle Spezie doppiando il capo meridionale del Sudamerica; Drake aveva circumnavigato il globo; Anson aveva disegnato accuratissime carte nautiche delle Filippine e Cook confermato l'esistenza di un continente meridionale. «Essi furono senza dubbio uomini straordinari» scrisse Joseph: solo che suo fratello aveva scoperto un modo di viaggiare infinitamente più pratico per tutti coloro che non erano altrettanto ricchi o coraggiosi.

«Migliaia di persone che non avevano osato prima di me, altre che non avevano potuto, e altre ancora che non avevano pensato di viaggiare, saranno persuase dal mio esempio» spiegava Xavier, accingendosi a partire. «Esiterebbe, il più indolente, a mettersi in cammino con me per procurarsi un piacere che non gli costa né fatica né denaro?» In particolare raccomandava il viaggio intorno alla camera ai poveri e a coloro che temevano furti, maltempo e precipizi.

4

Peccato che, come il congegno di volo, nemmeno il viaggio pionieristico di De Maistre fosse destinato ad arrivar lontano.

La storia comincia bene. L'autore chiude a chiave la porta della camera e indossa un pigiama rosa e azzurro. Quindi, senza bisogno di alcun bagaglio, viaggia fino alla poltrona, il mobile più grande della stanza, e scosso dall'usuale letargia la guarda con occhi nuovi, pronto a riscoprirne le intrinseche qualità. Si sofferma ad ammirare l'eleganza dei piedi e ripensa alle ore piacevoli trascorse tra i suoi cuscini, sognando l'amore e l'avanzamento di carriera. Dalla poltrona lancia un'occhiata al letto e, ancora una volta, dal suo nuovo punto d'osservazione l'esploratore impara ad apprezzare a fondo questo complesso pezzo d'arredamento. Si sente innanzitutto grato per le notti passate tra le sue coltri e quasi si inorgoglisce che le lenzuola facciano pendant con il pigiama. «... Mi ero scordato di consigliare a tutti di avere, se possibile, un letto bianco e rosa» scrive, poiché questi colori regalano calma e pensieri piacevoli a chi ha problemi di sonno.

Da qui in avanti, tuttavia, si potrebbe accusare De Maistre di aver perso di vista l'obiettivo principale della sua impresa, e così lo vediamo impantanarsi in lunghe e noiose digressioni sulla cagnetta Rosine, l'amata Jenny e il servitor fedele Joannetti. I curiosi che si accostano al *Viaggio intorno alla mia camera* cercando vera cronaca rischiano dunque di chiudere il libro delusi.

Ciononostante, l'opera di De Maistre nasce da un'intuizione profonda e suggestiva: che il piacere del viaggio dipenda forse più dall'atteggiamento mentale con cui partiamo che non dalla destinazione scelta. Se solo riuscissimo a vivere il nostro ambiente quotidiano con lo spirito del viaggiatore, dunque, potremmo scoprire che esso non è affatto meno interessante degli alti passi montani e delle giungle popolate di farfalle del Sudamerica di Humboldt.

Ma in cosa consiste lo spirito del viaggiatore? Potremmo dire che il suo tratto principale è la ricettività. Viaggiando ci avviciniamo a luoghi sconosciuti con umiltà, senza idee preconcette su cosa è interessante e cosa non lo è. Spesso irritiamo la popolazione locale piazzandoci su uno spartitraffico o in mezzo a un vicolo già angusto per ammirare quelli che sembrano particolari strani e di poco conto, e per colpa del tetto di un certo edificio governativo o di un'iscrizione su un muro rischiamo di farci investire dalle auto di passaggio. Lontano da casa persino un supermercato o un negozio di parrucchiere acquistano un fascino insospettabile. Contempliamo a lungo la grafica di un menu o la mise dell'annunciatrice televisiva, ci risvegliamo al senso della storia, prendiamo appunti e scattiamo fotografie. A casa, invece, le nostre aspettative si atrofizzano. Siamo certi di aver già scoperto tutto quello che c'era da scoprire di un certo quartiere: è inconcepibile che un posto dove abbiamo vissuto per più di dieci anni possa offrirci alcunché di nuovo, no? In poche parole, l'abitudine ci ha resi ciechi. Quel che De Maistre tentò di fare fu scuoterci da tanta passività. Nel suo secondo volume di viaggi domestici, *Spedizione notturna intorno alla mia camera*, raggiunge la finestra e volge lo sguardo al cielo, trovandolo così bello da provare rabbia per la generale mancanza di apprezzamento di simili scene quotidiane. «Così pochi si deliziano allo spettacolo sublime che il cielo apparecchia invano per un'umanità addormentata! Cosa costerebbe a chi si trova già fuori per una passeggiata o è appena uscito da teatro levare lo sguardo un istante e ammirare le brillanti costellazioni che luccicano sulla sua testa?» Se nessuno lo faceva, era perché non l'aveva mai fatto prima. La gente era abituata a considerare il proprio universo come qualcosa di noioso, ed esso si era di conseguenza allineato alle aspettative.

5

Provai dunque a viaggiare anch'io intorno alla mia camera, ma era talmente piccola, lo spazio quasi interamente occupato dal letto, da indurmi a pensare che il messaggio demaistreiano si sarebbe rivelato più gratificante se lo avessi esteso all'intero quartiere.

Una serena giornata di marzo, verso le tre del pomeriggio, parecchi mesi dopo il mio rientro da Barbados, partii quindi per una spedizione in stile De Maistre intorno a Hammersmith. Già all'inizio fu strano ritrovarmi fuori, in pieno giorno, senza una meta precisa. Una donna con due bambini

La camera dell'autore

biondi camminava lungo la via principale, su cui si aprivano negozi e ristoranti. Un autobus a due piani si era fermato davanti a un giardinetto per far salire alcuni passeggeri. Un enorme cartellone pubblicizzava una salsa. Percorrevo quella strada quasi ogni giorno, diretto alla vicina fermata della metropolitana, ed ero abituato a considerarla come un mero tragitto, un semplice mezzo funzionale ai miei scopi. Di conseguenza, tutto ciò che in essa andava nella direzione dei miei obiettivi attirava la mia attenzione, mentre quello che se ne discostava mi appariva irrilevante. Ero dunque sensibile al numero di persone che affollava i marciapiedi poiché potevano intralciare il mio cammino, mentre i loro volti e le loro espressioni restavano assolutamente invisibili, così come le forme dei palazzi o il fervere dell'attività nei negozi.

Certo, non era stato sempre così. I primi tempi dopo il trasloco la mia attenzione era stata meno gelosa ed esclusiva, raramente avevo puntato con simile determinazione verso la metropolitana.

Quando varchiamo uno spazio nuovo la nostra sensibilità è automaticamente attratta da un gran numero di elementi, che a poco a poco però scremiamo in base alla funzione che attribuiamo allo spazio stesso. Alla fine, tra le migliaia di cose che potremmo guardare e su cui potremmo fermarci a riflettere in una strada, la nostra attenzione attiva ne salva solo tre o quattro: il grado di affollamento del marciapiede, l'intensità del traffico automobilistico, la possibilità che piova. L'autobus che un tempo abbiamo magari considerato in termini estetici o meccanici, o che è stato piattaforma di lancio per riflessioni sulla convivenza cittadina, diventa così una mera scatola che ci auguriamo riesca a farci attraversare il più rapidamente possibile una zona che potrebbe anche non esistere, tanto è lontana dal nostro obiettivo primario fuori dal quale tutto è oscurità invisibile.

Avevo dunque sovrapposto alla via una griglia di interessi che non lasciava spazio a bambini biondi, pubblicità di salse, lastre di pavimentazione, cromatismi delle vetrine ed espressioni di pensionati e commercianti. La forza del mio famoso obiettivo mi aveva privato della volontà di riflettere sulla geografia del giardino pubblico o sull'inconsueta mescolanza di architetture georgiane, vittoriane ed edoardiane all'interno di un unico quartiere. Dai miei percorsi era stata esclusa ogni forma di attenzione alla bellezza, di libera associazione, di senso di meraviglia o gratitudine, ogni possibile digressione filosofica indotta da elementi visivi. Al loro posto era rimasta solo l'urgenza di raggiungere quanto più rapidamente la fermata della metropolitana.

Sulla scorta dell'esempio di De Maistre, tuttavia, mi sforzai di invertire il processo di assuefazione e di dissociare l'ambiente circostante dalla finalità che gli avevo attribuito sino a quel momento. Mi costrinsi perciò a rispondere a uno strano ordine mentale: quello di guardarmi intorno come se non fossi mai stato lì prima. E, lentamente, il mio viaggio cominciò a rivelarsi fecondo.

Sotto l'imperativo di considerare ogni cosa potenzialmente degna d'interesse, ecco che gli oggetti presero a manifestare svariati gradi di valore latente. La teoria di negozi che avevo sempre considerato come un unico blocco pesante e indifferenziato acquistò un'identità architettonica: quello del fiorista si apriva tra due colonne in stile georgiano, mentre sopra al macellaio si affacciavano gargolle in tardo gotico vittoriano. Un ristorante mi colpì per il numero di clienti, e non di mere sagome, seduti ai tavoli. In un palazzo di uffici con la facciata di vetro notai alcune persone che, in una sala del primo piano, gesticolavano energicamente. Qualcuno stava disegnando un grafico a torta su un lucido e, contemporaneamente, dalla parte opposta della strada un operaio posava nuove lastre di cemento sul marciapiede, rifinendone con precisione i contorni. Presi un autobus e, anziché sprofondare all'istante nei miei pensieri, cercai di stabilire un legame con gli altri passeggeri. Dalla fila davanti alla mia ascoltai stralci di conversazione: un certo personaggio, probabilmente un capufficio, sembrava non capire e, benché parlasse sempre dell'inefficienza altrui, non si fermava mai a riflettere sui motivi che potevano averla prodotta. Pensai così alla molteplicità delle storie che si dipanavano contemporaneamente a tutti i livelli e in tutti gli angoli di una città. Pensai a quanto le lamentele si somigliassero tutte – era sempre un problema di egoismo, di cecità – e alla vecchia verità psicologica per cui ciò che critichiamo negli altri è ciò che gli altri criticano in noi. Il quartiere si stava a poco a poco animando non solo di persone ed edifici definiti, ma anche di idee. Presto mi ritrovai a riflettere sulla nuova ricchezza che stava investendo l'area. Poi cercai di capire perché mi piacevano tanto le arcate dei cavalcavia ferroviari, e anche il viadotto della tangenziale che tagliava la linea dell'orizzonte. Il fatto di viaggiare da solo mi parve un vantaggio. Le nostre reazioni al mondo esterno subiscono l'influenza decisiva di chi ci sta vicino, e spesso moderiamo la nostra curiosità per adattarci alle aspettative altrui. Magari i nostri compagni di viaggio hanno una visione precisa di noi e impediscono così ad alcune nostre parti di emergere. «Non ti avrei mai creduto un appassionato di ponti» potrebbe commentare qualcuno, intimidendoci, e il sentirci osservati da vicino potrebbe analogamente inibire la nostra osservazione degli altri, costringendoci a sintonizzarci sulle domande e i commenti di chi abbiamo accanto e ad apparire più normali di quanto la nostra curiosità non vorrebbe. A Hammersmith, invece, quel pomeriggio ero solo e perciò libero da simili preoccupazioni. Se volevo potevo anche comportarmi in modo strano, ragion per cui feci uno schizzo della vetrina di un negozio di hardware e dipinsi a parole il cavalcavia.

6

In realtà De Maistre non era un semplice viaggiatore da camera, ma anche un grande viaggiatore in senso classico.

Visitò l'Italia e la Russia, trascorse un inverno insieme alle truppe monarchiche sulle Alpi e combatté in una campagna russa nel Caucaso.

In una nota autobiografica scritta nel 1801 in Sudamerica, Alexander von Humboldt parlava delle motivazioni personali che lo avevano spinto a viaggiare: «A spronarmi era il vago desiderio di essere trasportato da una vita quotidiana noiosa in un mondo meraviglioso». E proprio questa dicotomia, la «vita quotidiana noiosa» contro «un mondo meraviglioso», De Maistre cercò di ridefinire in maniera più sottile: forse non avrebbe mai detto a Humboldt che il Sudamerica era un posto noioso come qualunque altro, ma lo avrebbe invitato a considerare la possibilità che anche la sua natia Berlino avesse qualcosa di straordinario da offrirgli.

Ottant'anni dopo, Nietzsche, che aveva letto e apprezzato De Maistre (nonché trascorso molto tempo nella propria stanza), scriveva:

Se si osserva come certi uomini sanno trarre partito dalle loro vicende – dalle loro insignificanti e banali vicende – al punto che esse si trasformano in un campo che porta frutto tre volte l'anno; mentre altri – e quanti altri! – vengono trascinati dall'onda delle vicissitudini più eccitanti, delle più varie correnti di tempo e di popolo, rimanendo tuttavia sempre leggeri, sempre a galla, come sughero: si è alla fine tentati di suddividere l'umanità in una minoranza («minimanza») di coloro che sanno fare molto con poco, e in una maggioranza di coloro che sanno fare poco con molto.

Possiamo incontrare persone che hanno attraversato deserti, galleggiato su calotte di ghiaccio e camminato nella giungla aprendosi la strada a colpi di machete – ma nella cui anima cercheremo invano traccia di tali esperienze. Nel suo pigiama rosa e azzurro, soddisfatto dei confini della sua camera, Xavier de Maistre ci ha garbatamente suggerito, prima di decollare per lontani emisferi, di notare davvero ciò che i nostri occhi hanno già visto.

RINGRAZIAMENTI

Ringrazio Simon Prosser, Michele Hutchison, Caroline Dawnay, Miriam Gross, Noga Arikha, Nicole Aragi, Dan Frank e Oliver Klimpel.

FONTI ICONOGRAFICHE

pp. 7, 237 Hammersmith Broadway, da *London A-Z. Street Atlas* (Riproduzione autorizzata dalla Geographers' A-Z Map Co. Ltd. Licenza n. B1299. Il prodotto contiene elaborazioni cartografiche autorizzate da Ordnance Survey®. © Crown Copyright 2001. Licenza n. 100017302)

p. 7, 211 Una spiaggia di Barbados(© Bob Krist/CORBIS)

pp. 7 Ritratto di Joris-Karl Huysmans (dettaglio), fotografia di Dornac (*fl.* 1890-1900) (Archives Larousse, Paris/Bridgeman Art Library)

pp. 10-11 *Tahiti Revisited*, 1776, olio su tela di William Hodges (© National Maritime Museum, London)

pp. 20-21 *Vista di Alkmaar*, 1670-75 ca, olio su tela, 44,4 x 43,4 cm, di Jacob Isaacksz van Ruisdael (1628/9-82) (Fondo Ernest Wadsworth Longfellow, 39.794. Per gentile concessione del Museum of Fine Arts, Boston. Riproduzione autorizzata. © 2000, Museum of Fine Arts, Boston. Tutti i diritti riservati)

p. 31 Charles Baudelaire, 1860 ca, fotografia (© Hulton-Deutsch Collection/CORBIS)

p. 31 Edward Hopper, 1940 ca., fotografia di Oscar White (© Oscar White/CORBIS)

p. 53 *Distributrice automatica*, 1927, olio su tela, di Edward Hopper (© Francis G. Mayer/CORBIS)

p. 57 *Benzina*, 1940, olio su tela, 66,7 x 102,2 cm, di Edward Hopper (The Museum of Modern Art, New York. Fondo Mrs Simon Guggenheim. Fotografia © 2001 The Museum of Modern Art, New York)

p. 59 *Scompartimento C, Vettura 293*, 1938, olio su tela, di Edward Hopper (© Geoffrey Clements/CORBIS) pp. 62-63 *Stanza d'albergo*, 1931, olio su tela, di Edward Hopper (© Museo Thyssen-Bornemisza, Madrid)

p. 67 Gustave Flaubert, fotografia (© Bettmann/ CORBIS)

p. 72 *Porte e bovindi in una casa araba* (dettaglio), 1832, acquerello e disegno, di Eugène Delacroix (Département des Arts graphiques, Louvre/Fotografia: © RMN Gérard Blot)

p. 83 *Il bazar dei venditori di seta*, litografia di Louis Haghe su un disegno di David Roberts, da *Egypt and Nubia*, F.G. Moon, London 1849 (su autorizzazione della British Library)

p. 85 *Case private al Cairo*, stampa da Edward William Lane, *An Account of the Manners and Customs of the Modern Egyptians*, London, 1842

p. 91 *Donne d'Algeri nei loro appartamenti*, 1834, olio su tela, di Eugène Delacroix (Louvre, Paris/Fotografia: © RMN - Arnaudet; J. Schormans)

p. 93 Flaubert nel giardino dell'albergo al Cairo, 1850, fotografia di Maxime du Camp (Fotografia: © RMN -B. Hatala)

p. 101 *Alexander von Humboldt e Aimé Bonpland in Venezuela* (dettaglio), 1850 ca, olio su tela, di Eduard Ender (1822-83) (Brandenburgische Akademie der Wissenschaften, Berlin/AKG London)

p. 106 *Alexander von Humboldt e Aimé Bonpland in Venezuela*, 1850 ca, olio su tela, di Eduard Ender (1822-83) (Brandenburgische Akademie der Wissenschaften, Berlino/AKG London)

p. 115 *Esmeralda, sull'Orinoco*, da *Views in the Interior of Guiana*, stampa di Paul Gauci (*fl.* 1834-67) da una litografia su un disegno di Charles Bentley (1806-54) (Stapleton Collection/Bridgeman Art Library)

p. 117 *Alexander von Humboldt e Aimé Bonpland ai piedi del Chimborazo*, 1810, olio su tela, di Friedrich Georg Weitsch (Staatliche Schlösser und Gärten/AKG London)

pp. 120-121 *Géographie des Plantes Equinoxiales*, da *Tableau physique des Andes et Pays voisins*, 1799-1803, di Alexander von Humboldt e Aimé Bonpland (© Royal Geographical Society)

p. 129 *William Wordsworth* (dettaglio), 1842, olio su tela, di Benjamin

Robert Haydon (per gentile concessione della National Portrait Gallery, London)

pp. 142-143 *Il fiume Wye a Tintern Abbey*, 1805, olio su tela, di Philip James de Louterbourg (1740-1812) (Fitzwilliam Museum, University of Cambridge Bridgeman Art Library)

p. 150 *Anime gemelle*, 1849, olio su tela, di Asher B. Durand (Collezione della New York Public Library, Fondazioni Astor, Lenox e Tilden)

p. 155 Carta geografica dell'Egitto (dettaglio: il deserto del Sinai), da Arthur Penrhyn Stanley, *Sinai and Palestine*, John Murray, London, 1859

p. 155 *Edmund Burke* (dettaglio), 1771, olio su tela, di Sir Joshua Reynolds (per gentile concessione della National Portrait Gallery, London)

p. 155 *Giobbe* (dettaglio), olio su tela, di Léon Joseph Florentin Bonnat (1833-1922) (Musée Bonnat, Bayonne/Lauros/Bridgeman Art Library)

p. 158 *Montagne Rocciose, Lander's Peak*, 1863, olio su tela di lino, di Albert Bierstadt (per gentile concessione del Fogg Art Museum, Harvard University Art Museum, Mrs William Hayes Fogg. Servizi fotografici © 2001 President and Fellows of Harvard College)

pp. 160-161 *Valanga sulle Alpi*, 1803, olio su tela, di Philip James de Louterbourg (Tate, London. © Tate, London, 2001)

p. 162 *Scogliere di gesso a Rügen*, 1818 ca, olio su tela, di Caspar David Friedrich (Oskar Reinhart Collection, Winterthur/AKG London)

p. 179 *Autoritratto*, 1886-87, olio su cartone, 41 x 32,5 cm, di Vincent van Gogh (1853-90) (Collezione Joseph Winterbotham, 1954.326 The Art Institute of Chicago. Fotografia © 2001, The Art Institute of Chicago, tutti i diritti riservati)

p. 190 *Cipressi*, 1889, matita, penna d'oca e penna di canna, inchiostro nero e marrone su carta velina, 62,2 x 47,1 cm, di Vincent van Gogh (Brooklyn Museum of Art, Fondi Frank L. Babbott e A. Augustus Healy. © 2001 Brooklyn Museum of Art, New York)

p. 191 *Campo di grano con cipressi* (dettaglio), 1889, pastello nero, penna, penna di canna e inchiostro marrone su carta, 47 x 62,5 cm, di Vincent van Gogh (Van Gogh Museum, Amsterdam/Fondazione Vincent van Gogh)

p. 195 *Oliveto*, 1889, olio su tela, di Vincent van Gogh (Collezione Rijksmuseum Kröller-Müller, Otterlo)

p. 198 *La casa di Vincent ad Arles*, 1888, olio su tela, di Vincent van Gogh (Rijksmuseum Vincent van Gogh, Amsterdam/AKG London)

p. 209 *Tramonto: campi di grano vicino ad Arles*, 1888, olio su tela, di Vincent van Gogh (Kunstmuseum Winterthur, Winterthur. © 2001)

p. 211 La zona dei dock di Londra, da *London A-Z Street Atlas* (Riproduzione autorizzata dalla Geographers' A-Z Map Co. Ltd. Licenza n. B1299. Il prodotto contiene elaborazioni cartografiche autorizzate da Ordnance Survey®. © Crown Copyright 2001. Licenza n. 100017302)

p. 211 *John Ruskin* (dettaglio), 1879, acquerello, di Sir Hubert von Herkomer (per gentile concessione della National Portrait Gallery, London)

p. 220 *Studio di una piuma pettorale di pavone,* 1873, acquerello, di John Ruskin (Collezione della Guild of St George, Sheffield Galleries & Museums Trust)

p. 223 *Rami,* disegno di John Ruskin, in John Ruskin, *The Elements of Drawing*, London, 1857

p. 225 *«Velvet Crab»*, *granchio australiano*, 1870-71 ca, matita, acquerello e pittura al guazzo su carta grigio-blu, di John Ruskin (Ashmolean Museum, Oxford/Bridgeman Art Library)

p. 228 *Nuvole*, stampa di J.C. Armytage, da un disegno di J.M.W. Turner, in John Ruskin, *Modern Painters*, vol. v, London, 1860

p. 232 *Vette alpine*, 1846?, matita, acquerello e pittura a guazzo su tre lenzuoli uniti, di John Ruskin (Birmingham Museums e Art Gallery)

p. 237 *Il conte Xavier de Maistre (1764-1852)* (dettaglio), stampa di Baron de Steuben (Fotografia: © Roger-Viollet)

Tutte le altre fotografie sono state scattate dall'autore.

INDICE

Finito di stampare
nel mese di maggio 2002
per conto della Guanda S.p.A.
da La Tipografica Varese S.p.A. (VA)
Printed in Italy